COMMENT GARDER SON HOMME

Couverture
- Conception graphique: Violette Vaillancourt

DISTRIBUTEURS EXCLUSIFS:

- Pour le Canada et les États-Unis:
  LES MESSAGERIES ADP*
  955, rue Amherst, Montréal H2L 3K4
  Tél.: (514) 523-1182
  Télécopieur: (514) 521-4434
  * Filiale de Sogides Ltée

- Pour la Belgique et le Luxembourg:
  PRESSES DE BELGIQUE
  96, rue Gray, 1040 Bruxelles
  Tél.: (32-2) 640-5881
  Télécopieur: (32-2) 647-0237

- Pour la Suisse:
  TRANSAT S.A.
  Route du Grand-Lancy, 2, C.P. 125, 1211 Genève 26
  Tél.: (41-22) 42-77-40
  Télécopieur: (41-22) 43-46-46

- Pour la France et les autres pays:
  INTER FORUM
  13, rue de la Glacière, 75624 Paris Cédex 13
  Tél.: (33.1) 43.37.11.80
  Télécopieur: (33.1) 43.31.88.15
  Télex: 250055 Forum Paris

Alexandra Penney

COMMENT GARDER SON HOMME

Traduit de l'américain par
Marie-Claude Lambe

 LES ÉDITIONS DE
L'HOMME

Données de catalogage avant publication (Canada)

Penney, Alexandra

Comment garder son homme

Traduction de: How to Keep your Man Monogamous.

ISBN 2-7619-0899-6

1. Mariage. 2. Adultère. 3. Intimité (Psychologie).
4. Hommes — Psychologie. 5. Femmes — Psychologie.
I. Titre.

HQ734.P4614 1990 306.7'3 C90-096361-1

L'ouvrage original américain a été publié par
Bantam Books
sous le titre *How To Keep Your Man Monogamous.*
(ISBN: 0-553-05382-5)

Dépôt légal: 2e trimestre 1990
Bibliothèque nationale du Québec

ISBN 2-7619-0899-6

À John Brulport
et
au docteur John B. Train

CHAPITRE PREMIER

Enquête sur la fidélité

«Jamais, même dans mes rêves les plus romantiques, je n'aurais pu imaginer un aussi beau début. Un soir, après le travail, je m'étais attardée avec les copains dans un restaurant. Attablé près de notre groupe, il me remarqua et demanda mon nom à un de mes collègues. Deux jours plus tard, il me téléphonait et nous prenions rendez-vous pour le samedi suivant. C'était en 1974, en pleine crise de l'énergie. Nous avons fait la queue à une station-service pendant deux heures, conversant et buvant le vin destiné à l'hôtesse qui nous attendait, chez qui nous n'avons jamais mis les pieds. Nous avons fait l'amour comme des dieux. C'était le coup de foudre. La grande passion.

«Il était vraiment très beau: grand, les yeux bleus, cheveux frisés. Un chic fou. Mais son charme ne se limitait pas au physique: c'était également un homme intelligent, très indépendant, sensible à la beauté et qui aimait vraiment les femmes. Il émanait de lui cette qualité d'être qui rend un homme irrésistible.

«Il plaisait beaucoup aux femmes et certaines, à l'occasion, lui téléphonaient. Leur audace me choquait. Il leur parlait toujours amicalement, d'un ton neutre, sans les encourager ni leur enlever leurs illusions. Ces appels me rendaient folle, mais je savais qu'il m'aimait. C'était l'homme le plus attentif, le plus romantique, le plus épris dont on puisse rêver.

«Nos horaires de travail étaient très irréguliers. J'arrivais parfois chez lui à deux heures du matin, le tirant de son sommeil. Certains soirs, j'étais là à vingt-deux heures et lui ne rentrait que beaucoup plus tard. Ce fut une époque merveilleuse où nous organisions de grandes fêtes dans son extraordinaire vieille maison. J'adorais cuisiner et nous étions tous les deux bons vivants.

«Il lui arrivait souvent d'inviter à ces fêtes tous ses collègues de bureau. Parmi eux, il y avait une femme qui ne déclinait aucune de ces invitations. Elle n'était pas particulièrement jolie; elle avait les cheveux longs, s'aspergeait de Shalimar et répondait au nom étrange de Lucrezia. Mère d'un jeune enfant, elle habitait Berkeley. C'était une femme d'aspect fragile, un peu brusque, mais qui ne manquait pas d'intelligence.

«Elle lui téléphonait à tout propos. Lui, il faisait des plaisanteries sur son nom. Lors de ces soirées, il était évident — à mes yeux, du moins — que sa présence le mettait mal à l'aise. «Pourquoi ne me laisse-t-elle pas tranquille?» disait-il. De mon côté, je tentais de ne pas me laisser impressionner par l'impertinence de cette femme.

«Un soir où j'avais dû rester au bureau, je tentai de le joindre à plusieurs reprises, chez lui et à son travail; mais en vain. Nous nous étions parlé un peu plus tôt dans la journée et je savais qu'il devait aller au siège social de sa compagnie, à Berkeley. Je me rendis chez lui comme je le faisais souvent lorsque je travaillais tard. Fourbue, je me laissai tomber sur le lit. Il était passé minuit. Quand il allait à Berkeley, il avait l'habitude de s'attarder dans un bar après le travail, pour éviter l'heure de pointe. Je calculai donc qu'il serait à la maison environ une demi-heure plus tard.

«Mais la demi-heure passa et il n'était toujours pas là.

«Je commençai à m'inquiéter. Peut-être s'était-il endormi au volant; peut-être avait-il eu un accident. Mais au plus profond de moi-même, je savais qu'il n'en était rien. C'était un conducteur expérimenté et prudent.

«Je n'ai pas fermé l'œil de la nuit. Vers neuf heures trente, le matin, je téléphonai à un de ses amis, à Berkeley. D'un ton dégagé, je lui demandai s'il l'avait vu. À aucun prix, je n'aurais voulu donner l'image d'une femme jalouse ou incapable de contrôler ses émotions. Ne jamais perdre son calme: article 1 du code social.

«J'étais avec lui hier soir, répondit innocemment l'ami en question. Lucrezia était là aussi. Nous avons pris un verre ensemble, mais j'ai dû rentrer tôt...» Dès ce moment-là, *j'ai su*.

«J'étais assise sur le bord du lit. Je me levai; mes genoux tremblaient. Mes jambes ne me supportaient plus et j'avais de la difficulté à respirer. J'étouffais.

«Je fis le lit pour effacer toute trace de mon passage; je rinçai et rangeai la tasse dans laquelle j'avais bu et je rentrai chez moi.

«J'étais dans un état épouvantable. Mais pas question de manquer une journée de travail... Je n'étais pas en colère. J'étais anéantie. Il m'avait trahie.

«C'est moi qui l'appelai en fin d'avant-midi. «Salut», me dit-il d'un ton détaché.

«Je voulais seulement savoir comment tu vas, dis-je, et si tu étais rentré tard.» Il me répondit qu'il était rentré tard. Un affreux silence suivit. Il était mal à l'aise, je le sentais. Je prétextai une réunion et raccrochai. Je tremblais de la tête aux pieds et je n'arrivais plus à respirer.

«Lucrezia m'obsédait. Je savais qu'il s'était passé quelque chose entre eux. C'était évident. Comment cette femme, qui avait un travail accaparant et un jeune enfant, avait-elle trouvé le temps de prendre tranquillement un verre avec ses collègues? Ça ne collait pas. Elle n'était certainement pas là par intérêt professionnel. Et puis, il y avait ces appels...

«Je réussis à tenir le coup jusqu'à midi, je ne sais trop comment. J'étais si tendue qu'une amie me donna un tranquillisant. C'était la première fois que j'en prenais; comme je suis très sensible à l'action des médicaments, bien vite je n'arrivai plus à garder les yeux ouverts et je dus rentrer à la maison. Je n'ai aucun souvenir d'avoir conduit l'auto. Je restai au lit tout l'après-midi.

«Il téléphona au cours de la soirée. «Où étais-tu passée? demanda-t-il, j'ai essayé de te joindre au bureau.» Je lui répondis que j'avais dormi et il me dit qu'il voulait venir dîner à la maison.

«J'avais le cœur en morceaux, mais j'étais fermement décidée à n'en rien laisser paraître et à faire preuve de la plus grande maturité et de la plus vive compréhension. Bien sûr, dès qu'il entra, j'éclatai en sanglots.

«Je lui annonçai que je savais avec qui il avait passé la soirée. Il me répondit qu'il était assez grand pour agir à sa guise, qu'il avait bu un peu et qu'il n'y avait pas de quoi en faire un drame, qu'elle n'était rien pour lui et qu'il m'aimait.

«Nous avons eu une longue conversation et je me souviens m'être dit alors qu'il s'en tirait bien. Nous restâmes ensemble encore plusieurs années après cet épisode. Mais la confiance avait fait place au doute et à la suspicion... Je vous raconte cela aujourd'hui et, bien que les événements se soient passés il y a plus de dix ans, mes genoux en tremblent encore et le souffle me manque.»

Cette histoire m'a été racontée au cours d'une entrevue de deux heures, en 1986. Ce que cette femme a vécu, des millions d'autres l'ont vécu aussi: leur mari, ou leur amant, a fait l'amour avec une autre femme. Et toutes, nous avons éprouvé la même poignante et atroce douleur, la même angoisse, la même sensation de brûlure que celles décrites par cette femme avec une étonnante précision dix ans après les événements.

De nos jours, l'infidélité fait les grands titres des journaux et constitue la pierre d'achoppement de bien des carrières. Et pour les femmes, elle demeure toujours l'élément fondamental de la relation amoureuse. Avec l'avènement du sida, on aurait pu croire que les mœurs allaient changer. Mais malgré les effets dévastateurs du sida, l'infidélité est une pratique toujours aussi répandue.

Il est généralement admis aujourd'hui que 50 à 65 p. 100 des hommes (et, selon certains chercheurs, plus de 70 p. 100) sont infidèles. En d'autres mots: *il est fort probable que votre partenaire vous trompera.*

Pourquoi en est-il ainsi?

Il me paraissait évident que les personnes les mieux placées pour répondre à cette importante question étaient les hommes eux-mêmes. Jamais, à ma connaissance, on ne leur avait demandé ce que signifiait, pour eux, être fidèle. Je décidai donc d'en interviewer au moins deux cents, en vue de comprendre ce qui pousse un homme à faire l'amour avec une autre femme que la sienne ou, plus important encore, ce qui l'amène à rester fidèle.

Je ne suis ni sociologue, ni statisticienne, ni spécialiste en quelque domaine que ce soit. Je suis journaliste et recherchiste; et pour des raisons à la fois personnelles et professionnelles, la fidélité est un sujet qui m'intéresse. Les questions que je posai aux hommes sont celles dont j'avais, comme bien d'autres femmes, envie d'entendre les réponses.

Je demandai d'abord à mes amis et à mes collègues, hommes et femmes, de me fournir les noms d'hommes qui, selon eux, accepteraient d'aborder le sujet. Je ne m'imposai que deux restrictions: ces hommes devaient être pour moi des inconnus et je ne devais entretenir avec eux, après l'entrevue, aucun lien professionnel ou social.

Je reçus une avalanche de noms et m'attelai à la tâche de joindre ces gens pour prendre rendez-vous avec eux. Après une douzaine d'entrevues à New York, je m'envolai vers Los Angeles et San Francisco. Les hommes que j'interviewai en Californie me fournirent d'autres noms et mon enquête s'étendit bientôt à l'ensemble du pays.

Je fis tout près de deux cents entrevues qui durèrent chacune entre une et trois heures, parfois plus, au cours desquelles le thème de la fidélité fut traité en profondeur. Par ailleurs, j'abordai le sujet avec plusieurs autres hommes auxquels je me contentai de poser rapidement quelques questions.

Mon échantillonnage, bien qu'il n'ait rien de scientifique, comprend toutefois des hommes de dix-neuf à soixante-dix-sept ans, de diverses origines ethniques, religieuses et socio-économiques.

J'interviewai aussi des psychiatres, des psychologues, des sociologues, des conseillers matrimoniaux et spirituels, des avocats spécialisés dans les causes de divorce et, bien sûr, d'autres femmes. Je lus aussi tout ce qui a été publié récemment: enquêtes, statistiques et analyses sur le sujet, ainsi que la plupart des articles traitant des rapports entre les sexes.

Au cours des deux années et demie que durèrent mes recherches, je me fis un devoir de respecter ce que j'en étais venue à appeler mon «quotient d'intégrité». Je m'explique: toute enquête d'envergure est affectée, malgré la bonne volonté de ses auteurs, par une certaine «autosélection». Par exemple, les personnes qui retournent, dûment remplis, les questionnaires que leur font parvenir des magazines ou autres entreprises le font parce qu'elles ont envie de répondre à ces questions, ou parce qu'elles ont vécu des expériences qui se rattachent au sujet traité. Celles, par contre, qui ne se sentent pas concernées par le questionnaire le jettent à la poubelle. De même, les hommes et les femmes aux prises avec des problèmes d'infidélité auront probablement plus tendance à participer à une enquête sur ce sujet que les couples fidèles qui vivent en parfaite harmonie. Ce phénomène, bien sûr, affectera les résultats de l'enquête. Sans compter que la plupart des gens, quand il est question d'un sujet aussi délicat que l'infidélité, sont portés à modifier les faits, à les exagérer, quand ils ne mentent pas carrément à l'intervieweur.

Rien ne me permet donc de prétendre que les hommes que j'ai rencontrés ont dit la vérité à l'étrangère indiscrète que j'étais. L'infidélité est un sujet tabou et il n'est pas facile, même à l'homme le plus volage, de raconter comment il a trompé sa compagne.

Étant donné ces difficultés, il était important que chaque entrevue se déroulât dans un cadre naturel, où mon interlocuteur se sentirait à l'aise. Pour certains, ce fut le bureau; pour d'autres, un lieu anonyme: bar, restaurant, café. Dans une douzaine de cas, je dus me contenter d'une entrevue téléphonique.

J'avais déjà interviewé des hommes, dans le cadre de la préparation de mes trois livres précédents, sur des sujets tels que l'amour, le sexe et le romantisme. Je fus donc à même de constater à quel point mes interlocuteurs étaient réticents à parler de fidélité, tant le sujet éveille en eux des sentiments complexes et douloureux. Toutefois, en procédant par étapes, en gagnant peu à peu leur confiance, en faisant preuve de tact — et en assurant l'anonymat aux hommes que j'interviewais —, je crois avoir souvent touché la vérité. Les noms ont été changés, mais l'authenticité des propos a été scrupuleusement respectée.

La fidélité est l'un des aspects de la relation amoureuse les plus chargés d'émotions, mais c'est aussi un phénomène social complexe qui comporte des facettes culturelles, philosophiques, religieuses et morales. Bien que le sujet m'intéresse sous tous ces aspects, je m'en suis tenue, du début à la fin de mon enquête, à ma question première: *Que faut-il à un homme pour qu'il reste fidèle?*

À mesure que les entrevues se déroulaient, je pouvais distinguer certains types de comportements. Les hommes ne naissent pas fidèles ou infidèles. Les femmes non plus, d'ailleurs. Ce sont les événements qui font de nous des partenaires fidèles ou pas. Mes conversations avec les hommes, mes entrevues avec des spécialistes, mes recherches m'ont donné accès à des connaissances toutes fraîches sur la nature de ces événements. Cette information aidera les femmes à mieux comprendre les hommes d'aujourd'hui et à bâtir avec eux une relation basée sur la fidélité qui soit stimulante et pleinement satisfaisante.

Tout ce que j'ai découvert à propos de la fidélité est contenu dans ce livre. Avant de poursuivre votre lecture, il est très important que vous vous mettiez bien dans la tête que si votre homme est volage, vous n'en êtes pas responsable. Il ne vous trompe pas parce que vous avez fait ceci ou que vous n'avez pas fait cela, ou parce que vous n'êtes pas assez sexy, ou amusante, ou intelligente. Si un homme est infidèle, c'est que certains de ses besoins les plus importants n'ont pas été satisfaits. Ces besoins, dont vous ignorez l'existence et que j'identifierai et analyserai plus loin, peuvent être d'ordre émotionnel ou sexuel. Or, les femmes d'aujourd'hui, avec la maturité dont elles font preuve, sont à même de satisfaire ces besoins sans pour autant renoncer au respect et à l'estime de soi qu'elles ont si chèrement acquis. D'autant plus qu'en satisfaisant les besoins de votre partenaire, ce sont vos propres besoins émotionnels et sexuels, ou d'amour, d'intimité et de fidélité que vous comblerez.

Je tenterai tout d'abord, dans les premiers chapitres, d'expliquer pourquoi les femmes tiennent tant à la fidélité. Les chapitres suivants seront consacrés aux propos des hommes sur le sujet; propos à la fois surprenants, fascinants et parfois choquants, qui vous aideront à comprendre pourquoi les hommes ont une façon de voir et de vivre les choses qui diffère de la nôtre. Vous constaterez que bien des hommes ont une définition de la fidélité qui comporte plus d'une contradiction; mais vous découvrirez aussi ce qui les amène à nourrir ces ambiguïtés. Nous aborderons tous les aspects de la question. L'infidélité est-elle propre à certains groupes d'âge, à certains modes de vie? Certaines circonstances favorisent-elles l'infidélité? En quels termes l'homme parle-t-il de «l'autre femme»? Qu'est-ce précisément qui l'attire chez elle? Jusqu'à quelle étape d'une relation est-on «naturellement» fidèle? Pourquoi les choses changent-elles ensuite? Nous explorerons l'univers de l'homme intrinsèquement fidèle et, parallèlement, nous tracerons différents portraits de «l'homme à femmes» et identifierons les constantes qui permettent de le repérer. Vous lirez des récits secrets d'aventures d'un soir. Vous lirez aussi les propos des hommes qui croient à l'éternel triangle et ceux, enfin, de ces infidèles «intermittents», catégorie à laquelle, selon les experts, appartient probablement l'homme qui partage votre vie.

Après avoir écouté ce que les hommes ont à dire, nous plongerons dans le nouveau monde fascinant de la psychosexualité. Nous explorerons l'ego de l'homme d'aujourd'hui, sa structure, ses besoins. Nous analyserons ensuite l'ego de la femme d'aujourd'hui, dont, comme nous le verrons, la structure et les besoins diffèrent de ceux de l'ego masculin. Mais une fois identifiées les forces qui les sous-tendent l'un et l'autre, vous constaterez que ces différences ne sont pas irréconciliables.

Mais, me direz-vous, nous nous éloignons de notre sujet. Pas du tout, vous verrez.

Une fois que vous aurez saisi le fonctionnement de l'ego masculin et de l'ego féminin, vous serez à même de comprendre un principe étonnamment simple: celui de la satisfaction des besoins psychosexuels, les siens et les vôtres. Or, ce principe est à la base d'une merveilleuse stratégie, fort efficace, que vous pourrez tout de suite mettre en pratique pour vous assurer la fidélité de votre partenaire.

Aux yeux des femmes modernes, qui n'ont plus l'habitude d'élaborer des stratégies, et aux yeux des hommes d'aujourd'hui, qui ne croient plus qu'elles soient nécessaires, ce principe peut paraître déroutant. Mais malgré les bonnes intentions des hommes, il reste que ce sont habituellement les femmes qui, encore maintenant, prennent en charge et nourrissent la relation amoureuse. C'est ce que confirment les recherches contemporaines aussi bien que mes propres enquêtes. La plupart des hommes que j'ai rencontrés exprimaient une réelle volonté de faire la moitié du chemin, mais ils étaient également conscients que, dans les faits, les choses ne se passent pas tout à fait ainsi. «J'aimerais bien partager à part égale la responsabilité du succès de notre mariage, me confie un jeune homme de vingt-sept ans. Je ferais tout pour qu'il en soit ainsi. Mais je vois bien que, dans la vraie vie, c'est encore la femme qui assume la plus grande part de ce rôle.»

Dans ce livre, vous lirez des récits vécus, tirés de mes entrevues et de mes recherches, qui illustrent la stratégie que je vous propose. Ils montrent comment, en satisfaisant les besoins de l'ego, vous réussirez à préserver votre union. Vous y trouverez également des suggestions, des conseils pratiques, des solutions à des problèmes concrets et des renseignements précis qui vous permettront d'identifier les attentes sexuelles de votre partenaire. Ces entrevues ainsi que l'ensemble de l'information contenue dans ce livre n'ont qu'un seul but: vous aider à créer et à maintenir une relation amoureuse qui soit enrichissante, romantique, stimulante et basée avant tout sur la fidélité.

CHAPITRE DEUX

Les termes de l'équation

«Mais qu'est-ce que les femmes veulent vraiment?» me lança tout à coup l'animatrice.

«Un homme», répondis-je spontanément, et un grand sourire illumina le visage de mon interlocutrice.

Si je n'avais pas été à la télévision, je me serais carrée dans mon fauteuil et, avant de répondre, j'aurais médité longuement sur les tenants et aboutissants de cette formidable question freudienne. Cette réflexion, je la fis plus tard, dans l'avion qui me ramenait à la maison; et à l'atterrissage, j'en arrivais toujours à la même conclusion: oui, je crois que ce qu'une femme veut vraiment, c'est un homme. Bien sûr, nous avons aussi d'autres ambitions; nous voulons des enfants, une carrière; nous avons besoin d'une vie qui soit intellectuellement et spirituellement riche. Mais je crois que la majorité des femmes, sans l'admettre publiquement bien sûr, veulent avant tout avoir un homme dans leur vie.

Évidemment, nous avons besoin des hommes pour faire des enfants. Mais il y a plus que cela. Les femmes portent en elles un désir que seul un homme peut combler et qui dépasse la simple exigence biologique et œdipienne. La plupart d'entre nous désirent l'amour d'un homme et ont besoin de partager avec celui-ci une intimité physique et émotionnelle.

Nombre de recherches récentes confirment cette hypothèse. Au cours des dernières années, les psychologues ont concentré leur attention sur la question de l'intimité chez les femmes et plus particulièrement dans leurs rapports avec les hommes. Ils ont découvert que le bien-être psychologique d'une femme

17

repose sur un rapport étroit avec son partenaire, sur un rapprochement amoureux profond, sur la possibilité de révéler sa
vraie nature et d'avoir accès à celle de leur conjoint. En d'autres
mots, les femmes ont un profond besoin d'intimité.

Pour une femme, la fidélité est l'un des éléments essentiels à
une telle relation. L'homme que nous accueillons dans cette intimité est celui en qui nous avons mis toute notre confiance et
tout notre amour. Ce lien, à la fois physique et émotionnel, est
pour nous inviolable. Il est comme un trésor que nous aurions
déposé dans un compte conjoint et dans lequel nous pourrons
faire, en toute quiétude, des retraits jusqu'à la fin de nos jours.
Si l'homme rompt le lien physique, pour nous, c'est le lien
émotionnel qui s'effondre. C'est le krach. Le compte est à découvert. L'intimité indispensable à notre bien-être a disparu. Le
cœur est en banqueroute. Nous voilà soudain terriblement
seule.

Mais les hommes, eux, que veulent-ils? Les hommes aussi
tendent vers une relation intime; pour eux aussi, c'est un
besoin. Toutefois, leur perception de la chose est *très différente*
de la nôtre. «La plupart des hommes ont besoin d'une relation
intime, explique un psychanalyste new-yorkais. Mais chez les
femmes, ce besoin devient le centre de la vie. La majorité des
femmes et des hommes, je crois, admettraient cette distinction.»

Intimité, amour, fidélité sont des sources intarissables de
désaccord entre les femmes et les hommes. C'est en parlant avec
des centaines d'hommes que j'ai pu constater à quel point
hommes et femmes diffèrent quant aux opinions, aux sentiments et aux fantasmes que suscitent en eux ces trois mots.
Toutefois, bien que l'un et l'autre sexe ait conscience d'avoir sa
propre perception des choses, nous ne tenons pas compte dans
les faits de cette divergence fondamentale, tant nous avons
besoin de croire que notre partenaire pense comme nous et
qu'en toute circonstance il agira comme nous l'aurions fait. Or,
les entrevues que j'ai menées m'ont confirmé que les hommes
sont effectivement très différents de nous.

La sexualité est un parfait exemple de cette différence. Pour
l'homme, elle est traditionnellement synonyme de défi, de
conquête, de diversité. Pour la femme, elle signifie intimité,
appartenance, sécurité. Aujourd'hui encore, les enquêtes
démontrent que ces valeurs n'ont pas changé.

Pour la plupart des hommes:
    sexe = sexe + parfois amour
Pour la plupart des femmes:
    sexe = amour

Le témoignage de Suzanne, une jeune manucure de vingt-deux ans, résume bien ce qui précède. «Je crois en l'amour. Si je partage le lit d'un homme, c'est parce que je l'aime et il ne devrait coucher avec personne d'autre. Je ne peux croire que mon ami puisse en même temps m'aimer et faire l'amour avec une autre femme.»

Son ami, toutefois, avoue-t-elle à regret, n'est pas du même avis. Opinions féminines et masculines divergent également quant à la question de l'intimité. «En fait, précise Ted Huston, un psychologue de l'université du Texas, hommes et femmes n'exigent pas d'une relation le même degré d'intimité émotionnelle.» Selon les recherches de ce psychologue auprès de cent trente couples, les femmes espèrent une plus grande intimité et sont profondément déçues quand leurs attentes ne sont pas satisfaites.

Les hommes, souvent coupés de leurs émotions profondes, ont une idée plutôt vague de ce qu'on entend par intimité. Avant toute chose, l'homme ordinaire perçoit sa relation avec une femme en termes de responsabilités. Pour bien des hommes, l'intimité, c'est d'abord partager des tâches ménagères ou des loisirs. Bien sûr, nous apprécions que l'autre fasse sa part du ménage, mais cela n'a rien à voir avec le lien émotionnel que nous sollicitons et dont nous avons besoin.

Troisième champ de divergence: les priorités. Un psychologue réputé de l'université Yale, Robert Sternberg, a fait une recherche auprès de femmes et d'hommes âgés de dix-sept à soixante-neuf ans, dont certains étaient mariés depuis plus de trente-cinq ans. Ses observations font état de différences marquées quant à ce que l'un et l'autre sexe attend d'une relation amoureuse. Les femmes qui ont répondu au questionnaire accordaient la priorité à la fidélité ainsi qu'aux liens avec la famille et avec les amis, tandis que les hommes plaçaient en tête de liste les performances sexuelles de leur partenaire et les intérêts communs. En d'autres mots, pour les femmes, une relation s'établit avant tout sur la fidélité, et pour les hommes, sur le sexe.

Pourquoi en est-il ainsi? Pourquoi les hommes et les femmes ont-ils une perception du monde si différente? Et pourquoi intimité et fidélité vont-elles de pair pour la plupart des femmes et paraissent-elles si incompréhensibles à la plupart des hommes?

Selon la pensée actuelle en psychologie, à laquelle contribua largement par ses brillants travaux Carol Gilligan, de l'université Harvard, on apprend aux filles dès leur plus jeune âge à *créer et à entretenir des liens* avec les autres, tandis qu'on propose aux garçons des activités qui favorisent *l'autonomie et l'indépendance.* Ce n'est que plus tard, explique Carol Gilligan dans son ouvrage intitulé *In a Different Voice* (Harvard University Press, 1982), que la petite fille apprendra à se détacher et le petit garçon à créer des liens, de telle sorte que, *une fois adulte, les femmes conserveront toujours une certaine répugnance à se séparer de quelqu'un, et les hommes une certaine méfiance envers l'intimité.*

Ce besoin de proximité et de distance constitue selon moi la base théorique la plus solide pour expliquer les attentes des hommes et des femmes dans les différentes circonstances de la vie. Mais il existe aussi d'autres facteurs dont il faut tenir compte, ainsi que me le révélèrent les témoignages d'hommes qui avaient réfléchi à la question.

Parmi ces témoignages, celui d'un important fabricant de cosmétiques pour femmes, qui fait l'observation suivante: «La plupart des hommes passent leur jeunesse dans un contexte où le sport occupe une place essentielle. Ils font partie d'une équipe et baignent dans cette atmosphère qui façonne leurs besoins et leurs désirs. Plus tard, en affaires, ils utiliseront le vocabulaire du sport, qui exclut les femmes. Équipiers un jour, équipiers toujours, ils demeureront plus à l'aise en groupe, ou seuls, que dans une relation intime avec une femme.

«Mais de nos jours, ajoute-t-il, les filles font partie de l'équipe. On peut donc espérer que, d'une part, les hommes apprendront à les considérer comme leurs égales et que, d'autre part, les femmes seront mieux à même de comprendre le traditionnel esprit de compétition masculin. Le fossé entre les sexes pourrait ainsi considérablement diminuer.»

«Mon expérience des femmes, remarque un homme de trente-sept ans marié depuis six ans et fidèle, m'enseigne qu'elles ont une peur panique de leur sexualité. La fidélité est pour elles quelque chose de beaucoup plus profond que pour nous. Quand une femme s'abandonne à un homme, elle a habituellement besoin de savoir qu'elle est la seule. Un homme, lui, peut faire l'amour avec une parfaite inconnue. Les relations sexuelles sont, pour moi, comme une large rivière: pour traverser la rivière, la femme a besoin d'amour. Pour l'homme, il y a un pont: c'est le sexe.»

Selon un assistant à la recherche en psychologie clinique, nous n'avons pas à nous surprendre de la difficulté de l'homme à rester fidèle. «Si la première chose que j'ai apprise, petit garçon, c'est à me détacher, explique-t-il, il me sera très difficile, plus tard, de m'attacher — en particulier à une femme.»

Voilà déjà un aperçu des propos que tiennent les hommes sur la fidélité et les relations amoureuses. Pour la grande majorité des femmes, la fidélité est un aspect essentiel de la relation intime; elle répond à un besoin profond et constant de se sentir bien et en sécurité à l'intérieur du couple. Les hommes ne sont pas contre l'intimité ou la fidélité, mais il n'en ont pas la même perception que les femmes. Le prochain chapitre vous donnera une meilleure idée du malaise qu'ils éprouvent à aborder ce sujet.

CHAPITRE TROIS

La fidélité, c'est du sport!

Le Petit Robert définit ainsi la fidélité: «Constance dans les affections, les sentiments.» Mais pour la majorité des femmes, être fidèle, cela veut dire:

PAS D'AVENTURES — JAMAIS.

Les hommes, au contraire, disposent de tout un éventail de définitions de la fidélité. Selon moi, cette variété souligne le malaise, la confusion et l'anxiété que le sujet engendre chez eux.

J'avais déjà constaté que les différentes notions masculines de la fidélité étaient fort différentes de ma propre conception de la chose, aussi commençai-je chacune de mes entrevues par la question suivante: «Comment définiriez-vous la fidélité? Ne réfléchissez pas trop. Répondez-moi rapidement. Il n'y a ni bonne, ni mauvaise réponse. Dites-moi quelle définition vous vient à l'esprit, ou donnez-moi un exemple.»

«La fidélité, ce n'est pas ce qu'on fait, mais plutôt *ce qu'on ne fait pas*», répond un caméraman de vingt-neuf ans. «Être fidèle, dit un autre technicien de la télévision âgé celui-là de quarante-deux ans, c'est *limiter* ses activités sexuelles à une seule partenaire.» «Si on est fidèle, précise un agent immobilier, c'est avant tout pour *éviter les problèmes*.» «La fidélité, c'est un *sacrifice*, une privation», dit un autre. «Avec la fidélité, on part *perdant*», affirme un psychothérapeute, précisant qu'il s'agit là d'une opinion personnelle. «Le problème ne sera *jamais résolu*, poursuit-il; si on demeure fidèle, on aura à en payer le prix par une bataille constante contre ses propres penchants.» «La fidélité, c'est le sexe *obligatoire* sous le parapluie nucléaire», résume enfin un humoriste new-yorkais. (Les italiques sont de moi.)

Tous ces hommes conçoivent la fidélité comme quelque chose de difficile, de restrictif, et qui exige une bonne dose de discipline.

D'autres y voient une attitude égocentrique — dans le sens positif du terme. «Les hommes fidèles ne sont pas des saints, explique un vendeur. S'ils ont choisi de vivre comme ça, c'est par esprit pratique et pour leur propre bien. On ne court pas le risque d'attraper toutes sortes de choses et on protège une relation qui nous tient à cœur.» «Quand on est fidèle, c'est dans son propre intérêt, renchérit un directeur d'école. C'est une sorte de cadeau que nous faisons à notre partenaire, mais en fin de compte c'est nous-mêmes qui en tirons profit.»

Beaucoup d'hommes pour qui la fidélité est un choix contraignant, mais qui veulent plaire à leur conjointe, en donnent une définition plutôt large dans laquelle les contraintes sont les plus légères possible.

Le syndrome du si-ce-n'est-pas-souvent-ça-ne-compte-pas, vous connaissez? Voici la description qu'en donne un psychothérapeute. «Un homme qui a une histoire d'un soir, ou une petite aventure — plus longue qu'un week-end, mais rien à voir avec un engagement émotionnel —, c'est tout de même un homme fidèle. Mais, avoue-t-il, aucune femme ne sera d'accord avec moi.»

Et il a parfaitement raison. Les femmes n'ont que faire d'un homme fidèle-en-principe. Une femme qui découvre que son mari lui a été infidèle ne souffrira pas moins si elle apprend qu'il s'agissait d'une aventure d'un soir avec une femme dont il ne se rappelle même plus le nom.

À vingt ans, on ne pense qu'à ça

On peut se demander si l'attitude de l'homme face à la fidélité évolue avec l'âge. «À vingt ans, on ne pense qu'à ça, explique un homme de cinquante-cinq ans; on a tout le temps envie de baiser. Moi, j'ai été comme ça jusqu'à ce que je me marie, à vingt-six ans. Ensuite, j'ai été fidèle pendant quatre ans, puis ça m'a repris de plus belle. Pour deux raisons: d'abord, j'ai une grande énergie sexuelle; ensuite, ça n'allait pas avec mon épouse.»

«Jusqu'à quarante ans, c'est notre sexe qui mène, dit un homme de quarante-deux ans qui a ses petites aventures. Aujourd'hui, ma tête tente de prendre le contrôle, mais c'est plus bas que les choses s'enclenchent.»

Par contre, près de la moitié des hommes interviewés assurent qu'ils ont été fidèles, même dans la vingtaine. «Pour moi, la fidélité, c'est une chose naturelle», dit l'un d'eux, âgé de trente et un ans, représentant dans une firme de produits informatiques. «Je demande à une femme d'être fidèle et je m'attends à ce qu'elle ait pour moi la même exigence. J'ai vécu avec une femme pendant six ans, de l'âge de vingt-quatre ans jusqu'à l'année dernière. La sexualité, c'est très important pour moi, mais je suis resté absolument fidèle.»

Biologiquement, c'est de la puberté jusqu'à la fin de la vingtaine que les tentations sont les plus fortes, mais j'en suis venue à la conclusion que, quelle que soit l'énergie sexuelle d'un homme (la plupart se classent eux-mêmes «bien au-dessus de la moyenne»), la fidélité n'a rien à voir avec l'âge; il s'agit plutôt d'une question de comportement et de satisfaction des besoins émotionnels et sexuels.

Les spécimens de compétition

Pour les besoins de ce livre, j'ai essayé de comprendre pourquoi certains hommes sont fidèles et pourquoi d'autres ne le sont pas. Cela ne veut pas dire toutefois que je ne suis pas au courant que certaines femmes — de plus en plus nombreuses, d'ailleurs — ne se contentent pas d'un seul partenaire. Les hommes le savent aussi, mais la plupart croient toujours que pour les femmes, ce n'est pas la même chose... Ainsi que l'écrit Robert Sternberg dans son récent ouvrage traitant des relations intimes, *The Triangle of Love*: «Les résultats le démontrent clairement: les hommes croient que la fidélité, c'est important — pour les femmes.»

«Quoique je sois fondamentalement un homme fidèle et que, bien sûr, je m'attende à ce que ma femme soit absolument fidèle, explique un homme non sans ironie, j'ai été programmé à penser qu'il est acceptable que, moi, je me permette de petites incartades. Tout le monde dit que les femmes d'aujourd'hui s'envoient en l'air avec n'importe qui, mais ça ne change pas ma façon de penser.» Ce point de vue fait écho à celui de la plupart des hommes que j'ai interviewés: on sait que les femmes aussi trompent leur conjoint, mais on choisit de ne pas en tenir compte et on continue à dire que c'est le droit inaliénable des hommes de multiplier les partenaires.

Certains chercheurs aussi partagent cette opinion. Dans *The Evolution of Human Sexuality*, l'anthropologue britannique Donald Symons écrit que, si les hommes sont polygames et les femmes monogames, c'est pour répondre aux besoins de l'évolution. Pour propager l'espèce et répandre le patrimoine héréditaire, les hommes édifient des «harems», tandis que les femmes, pour protéger ce même patrimoine et en assurer la survie, sont très prudentes dans leurs alliances sexuelles.

Le socio-biologiste David Buss, de l'université du Michigan, épouse lui aussi la théorie de l'évolution qu'il expose dans un ouvrage intitulé *The Psychology of Love*. Mais Buss, lui, se sert de cette théorie pour expliquer non l'infidélité, mais la fidélité. Chez plusieurs espèces, soutient-il, les femelles repoussent les autres femelles de façon que leurs petits ne soient pas privés de la présence du mâle. Le mâle, de son côté, a tout intérêt à empêcher la femelle de s'engager dans d'autres alliances sexuelles qui risqueraient de retarder la naissance de sa propre progéniture. Selon ce raisonnement, la fidélité s'insère parfaitement bien dans le plan de l'évolution.

Mais la pensée du professeur Buss est encore loin de faire l'unanimité, en Amérique comme ailleurs. En Zambie, par exemple, la justice a dû trancher récemment le cas d'une femme accusée d'avoir infligé, par jalousie, des «coups et blessures» à son mari parce qu'il avait couché avec d'autres femmes. Dans son jugement, le juge Matthew Chaila avertit cette femme, et en même temps toutes les épouses, que «l'homme zambien est intrinsèquement, culturellement et instinctivement polygame et que la femme mariée qui n'accepte pas ce fait est condamnée à l'hypertension et à l'insomnie, risque de se créer bien des ulcères d'estomac et de sombrer dans l'alcool.» Ce fait divers a été rapporté dans la section santé du *Washington Post* (le 24 mai 1988).

Dans *The Myth of Two Minds: What Gender Means and Doesn't Mean*, Beryl Lieff Benderley fait d'intéressantes analogies entre le monde animal et l'homme contemporain. «Certains individus mâles, écrit-elle, se conduisent en véritables playboys (en jargon du métier, on les appelle «spécimens de compétition»). Ils n'établissent pas de liens durables avec les femelles, se contentant de multiplier les coïts, et certains accumulent un pointage nettement plus élevé que les autres. Dans les cas extrêmes, chez les éléphants de mer, par exemple, un petit nombre de solides gaillards sont responsables de la moitié, parfois même des trois quarts des accouplements de la colonie pendant toute la saison des amours.»

Mais l'auteure rapporte aussi que, pendant que ces joyeux lurons «chantent, dansent, font des cabrioles, selon le rite de séduction propre à chacune de leurs espèces, de façon à séduire le plus grand nombre de femelles, d'autres créatures préfèrent, elles, la quiétude de la vie familiale».

CHAPITRE QUATRE

L'un drague, l'autre pas

«La fidélité, je croyais que c'était un choix qu'on faisait une fois pour toutes, me dit une femme. Dans mon esprit, on décidait de vivre selon ce principe, pour le meilleur et pour le pire.» Cette opinion est très répandue parmi les femmes. Peu d'entre nous savent quelle force de caractère il faut pour résister, comme Ulysse, au chant des sirènes. Moi-même, je n'avais pas jusqu'à maintenant beaucoup réfléchi à la question. Je croyais naïvement que l'homme fidèle n'avait qu'à dire non à la tentation, ou encore qu'il émettait des vibrations informant l'autre qu'il n'était pas du genre à faire des folies. Le témoignage d'un homme que j'appellerai Jeff montre combien est simpliste cette vision des choses.

«Christine avait la grippe. Pas question pour elle de sortir. D'un commun accord, nous avions décidé que j'irais seul à la réception que donnaient des amis. J'avais bu quelques verres et j'allais partir lorsqu'une très jolie jeune fille — je devrais dire jeune femme — se mit à me faire la conversation. Elle avait un peu trop bu, c'était évident, mais ses propos ne manquaient pas d'intérêt. Elle m'a d'abord informé qu'elle n'avait pas son pareil pour vous faire une bonne pipe, puis elle m'a invité chez elle. Pas facile de refuser une telle invitation, mais c'est pourtant ce que j'ai fait. J'y ai souvent repensé durant les jours qui ont suivi et aujourd'hui encore, il m'arrive de songer à ce que ç'aurait pu être. Ma décision, ce soir-là, avait été réfléchie: j'étais marié; j'étais un homme fidèle; je n'avais pas *besoin* de cela. Mais le choix n'a pas été facile.»

«On peut tomber en amour avec une autre femme», explique le recteur d'une importante université, «mais on peut aussi décider, de façon délibérée, que cela ne se produira pas. Il s'agit de ne pas se placer dans une situation où la chose pourrait arriver. Selon moi, la moindre infidélité, la moindre incartade détraque la communication établie avec notre femme, et cela, même si elle ne l'apprend jamais.»

Avoir ou se laisser avoir

La perception que les hommes ont de celui qui a choisi la fidélité est très variée. Les réactions se partagent en deux grandes catégories: ou bien on le respecte et on l'envie, ou bien on le traite de mou. Récemment, j'a découvert un article de *Harper's Bazaar* qui illustre fort bien cette seconde opinion. L'article s'intitulait «La vie secrète des hommes». «C'est une lavette, y lisait-on à propos de l'homme fidèle, un pauvre mec délaissé, qu'on laisse tomber, un être moche, sans attraits, à qui tout ce qu'on demande c'est de rester gentiment tranquille. Quel triste sort.»

Au cours d'une entrevue, un homme à qui je demandais de me décrire l'homme fidèle en quelques mots me répondit, le plus sérieusement du monde: «Romantisme: zéro. Libido: zéro. Esprit d'aventure: faible.»

«Un borné. Un lâche», dit un autre.

En réponse à ma question, un homme énuméra sèchement les caractéristiques suivantes: «Esprit conventionnel; valeurs traditionnelles; peur du risque; un gars bien ennuyeux, quoi.»

Les hommes qui ont opté pour la fidélité sont très conscients d'être perçus par les autres hommes comme des êtres faibles. «Bien sûr que je suis un peu jaloux quand j'entends les autres se vanter de leurs prouesses, reconnaît un agent d'assurances de la Floride. Je ne dis à personne, pas même à mes meilleurs amis, que je n'ai jamais fait l'amour avec une autre femme que la mienne.»

Un autre raconte: «Les hommes parlent de sexe sur le même ton que lorsqu'ils vous demandent dans quel restaurant vous avez dîné la veille et si le repas était bon. C'était comme ça aussi quand j'étais jeune. Une fois adulte, j'ai pris conscience que de tels propos bafouaient des valeurs importantes à mes yeux. Je suis un homme fidèle, mais je n'en parle pas parce que ce n'est pas quelque chose que les gens peuvent comprendre.»

«Aujourd'hui, je sais ce qu'est l'amour, dit un commerçant, et je ne joue pas avec ça. Mais les autres gars font pression sur nous. Ils voudraient qu'on coure les filles et qu'on trompe notre femme. Ils nous racontent leurs prouesses et, leurs enfants sur les genoux, nous sortent les photos de leurs petites amies pendant que leur femme est à la cuisine en train de préparer le dîner. Ils me regardent de haut quand je leur dis que j'aime une femme et que leurs aventures ne m'intéressent pas. Je n'aime pas cette mentalité et je me tiens loin de ce genre d'hommes.»

Il faut une bonne dose de confiance en soi pour endosser des valeurs qui sont souvent tournées en ridicule. La plupart des hommes fidèles ne s'en vantent même pas à leurs meilleurs amis. Ils évitent d'aborder le sujet et fuient les vestiaires des clubs sportifs. Les hommes n'affichent leur fidélité que sous la rubriques «âmes seules» des petites annonces, où ils ont intérêt à jouer cet atout. Valeurs traditionnelles et mariage, bien sûr, encouragent la fidélité, mais, entre hommes, ce qui compte, c'est le nombre d'aventures. Commencez-vous à comprendre pourquoi un homme peut avoir tant de difficulté à rester fidèle?

Deux sortes de fidélité

Depuis ce qu'il est convenu d'appeler la révolution sexuelle, c'est-à-dire depuis la fin des années soixante et le début des années soixante-dix, bien des hommes et bien des femmes ont vécu toutes sortes d'expériences sexuelles. Maintenant, nombreux sont les gens qui peuvent établir des comparaisons entre différents partenaires. Mieux informés que les générations précédentes, ils savent très bien que certaines personnes font mieux l'amour que d'autres. Dès que le couple vit une tension, l'homme sera donc plus facilement tenté de regarder ailleurs, où il sait que l'attendent de nouvelles expériences. Tout cela n'encourage en rien la fidélité. En fait, il existe deux formes de fidélité: la première relève du désir, la seconde d'un choix.

La première forme de fidélité est propre aux amours débutantes, à l'éblouissement des premiers temps où, de toute façon, les amoureux sont seuls au monde.

La seconde forme relève de la décision consciente de respecter l'engagement que l'on a pris envers l'autre.

Durant les premiers stades de la relation, la plupart des hommes portent, dirait-on, des verres teintés qui filtrent les vibrations. «Je regardais les autres femmes», précise un homme dans sa description des deux types de fidélité. «C'est un réflexe. Mais il ne me serait pas venu à l'idée de coucher avec l'une d'elles. Puis, un jour, une belle fille m'a clairement signifié qu'elle s'intéressait à moi. Eh bien, il a fallu que je réfléchisse avant de refuser ses avances. Un an plus tôt, j'aurais tout de suite rejeté l'idée.»

«Il a fallu que je réfléchisse.» C'est à ces mots qu'on reconnaît la deuxième forme de fidélité, plus exigeante, bien sûr, que la première. Elle suppose en effet qu'on refuse délibérément de vivre une expérience dont on sait qu'elle aurait été agréable et flatteuse pour l'ego.

«Les premiers temps, explique un gynécologue, on respecte d'un commun accord le pacte de fidélité. Puis, inévitablement, on a envie de quelqu'un d'autre. C'est ainsi que les choses se sont déroulées dans mon cas. Mais on peut désirer une autre femme sans pour autant passer à l'acte. On ne peut pas supprimer le désir, mais rien ne vous oblige à aller plus loin... L'infidélité entraîne une kyrielle de problèmes. On commence à douter de soi-même; on se sent évalué, comparé. Dans cette atmosphère d'incertitudes et de cachotteries, tous les bénéfices d'une relation stable s'évanouissent. Par ma profession, je rencontre beaucoup de belles femmes, mais j'ai fait vœu de rester fidèle à mon épouse. C'est un choix.»

Trois races d'hommes fidèles

S'il existe deux formes de fidélité, les hommes fidèles, eux, se partagent en trois groupes.

Le premier correspond à l'homme pour qui la fidélité est un idéal qu'il s'engage à respecter. Cette conviction s'appuie en général sur des valeurs religieuses et sur un modèle parental correspondant. Le médecin cité plus haut appartient à ce premier groupe.

Deuxième race d'hommes fidèles: l'homme sérieux, qui a élaboré son propre code de valeurs et qui a réfléchi à ce que représente pour lui une relation amoureuse. À ses yeux, la fidélité est un des éléments fondamentaux de cette relation. Cet homme ne trahira jamais son engagement, même après plusieurs années de mariage et même quand rien ne va plus dans le couple. «Je respectais ma femme et jamais je ne l'ai trompée, raconte un avocat de trente-neuf ans. Tout engagement comporte des responsabilités et reste valable même quand les choses tournent mal. J'appréciais cette femme. Au lieu de sortir faire la fête avec des filles, j'ai décidé qu'il était temps de partir... L'infidélité corrompt les rapports entre les gens. Si ce que vous avez ne vous convient pas, il faut trouver le courage de partir.»

Partageant la même opinion, un autre homme me confie: «J'ai une forte libido et je suis très attiré par les autres femmes. La fidélité m'avait toujours paru quelque chose d'impossible. Mais je ne veux pas faire de mal à Nancy, ma copine. Je crois que la seule façon de rester fidèle à une femme, c'est d'en faire sa meilleure amie. Nancy et moi sommes de grands amis; je ne pourrais jamais me résoudre à briser un tel lien. Chaque fois qu'une femme m'attire et que j'aurais envie que les choses aillent plus loin, je me dis que je serais bien fou de détruire une relation qui me tient à cœur. J'ai beaucoup réfléchi à la question et, bien qu'il ne me soit pas facile d'être fidèle, je le suis.»

«Je suis marié depuis vingt-sept ans, dit un marchand d'automobiles. Ma femme m'a toujours soutenu, dans les meilleurs moments comme dans les pires. La loyauté: ça, c'est un mot qui compte pour moi. Je suis un type loyal, fidèle, et j'en suis fier. Cela ne veut pas dire que je ne regarde pas les autres femmes et que je n'ai pas mes petits fantasmes. Mais je crois en une communication spirituelle entre mari et femme, communication qui ne saurait être trahie physiquement.»

Enfin, l'homme fidèle du troisième type a choisi ce mode de vie et s'y conforme parce que sa compagne répond à tous ses besoins, sexuels, émotionnels et intellectuels.

Jeff, dont je citais les propos en début de chapitre et qui n'a jamais oublié l'offre que lui fit une jolie jeune femme, appartient à ce troisième groupe. Fort volage lors de son premier mariage, il est maintenant fidèle à sa seconde femme depuis sept ans et il a la ferme intention de le rester, quoi qu'il arrive. Il précise que sa compagne et lui ont appris à tempérer ensemble les tentations de l'un ou de l'autre.

Les deux premiers types d'hommes fidèles, l'idéaliste et le réfléchi, sont minoritaires. La majorité des hommes fidèles font partie du troisième groupe. «Elle me connaît bien, explique Jeff.

Elle sait qu'il peut m'arriver de désirer quelqu'un d'autre. Mais elle sait aussi exactement comment me prendre pour que les choses tournent bien pour nous deux.»

Ma rencontre avec Paul

Un matin, je reçus un appel à mon bureau d'un certain Paul S., de Philadelphie. Il m'expliqua qu'il était journaliste et qu'il me téléphonait dans l'espoir que je puisse l'aider dans la recherche qu'il avait entreprise. J'acceptai.

Il me bombarda de questions et j'éprouvai au début un peu de difficulté à passer du rôle d'intervieweur à celui d'interviewée. Plus la conversation avançait, plus j'avais la certitude que Paul serait lui-même un bon sujet pour ma recherche.

Je lui exposai le thème de mon travail et il accepta de venir me voir lors de son prochain séjour à New York. Après avoir raccroché, je ne savais qu'une seule chose de cet homme: c'était un reporter. Était-il marié ou célibataire? jeune ou vieux? Je n'en avais aucune idée. Il me paraissait seulement qu'il avait des choses intéressantes à dire. Je ne m'étais pas trompée.

Le jour de notre rendez-vous, New York était paralysée par une tempête de neige. Le bureau avait fermé tôt et je me disais que Paul allait certainement téléphoner pour annuler notre rencontre. Mais à l'heure exacte de notre rendez-vous, il frappa à ma porte.

Souriant, il secoua la neige mouillée de son imperméable qu'il retira avant de s'asseoir en face de moi, de l'autre côté de la table ronde où je m'installe pour travailler. Il était grand, joli garçon, et devait avoir un peu plus de trente ans. Il me paraissait légèrement sur ses gardes; peut-être n'était-ce que la réserve propre au reporter.

Nous échangeâmes quelques propos sur le malaise que nous éprouvions l'un et l'autre à devenir l'interviewé. Puis, je lui dis: «Parlez-moi un peu de vous. Je n'ai pas la moindre idée du genre de personne que vous êtes.»

Rédacteur-pigiste, célibataire, trente-deux ans, il habitait avec son amie depuis quatre ans. Il avait vécu avec une autre femme auparavant et leur relation avait duré trois ans.

«Si nous parlions de la fidélité», me contentai-je de proposer pour voir ce qu'il dirait de lui-même sur le sujet.

— Dans les faits, je suis fidèle, dit-il. Il existe entre mon amie et moi une entente tacite. Un jour, je lui ai dit: «Le moment le plus important d'une relation, c'est le début.» À quoi elle a rétorqué: «Certainement pas. Le moment le plus important d'une relation, ce sont les années du milieu, quand on connaît bien l'autre, passé l'étape des premières expériences ensemble. Il est beaucoup plus intéressant d'être avec l'autre quand il s'agit d'approfondir ces expériences.»

— Est-ce que vous abordez ensemble le sujet de la fidélité?

— Constamment. Je n'ai aucune difficulté à parler de ce sujet. La fidélité, pour moi, c'est quelque chose de négatif. Je ne peux concevoir que je ne coucherai plus jamais avec une autre femme. Et mon amie est au courant. C'est un éternel sujet de discussion entre nous, qui refait surface à tout propos. Je lui fait part de mes attirances pour d'autres femmes. Je ne sais pas ce qui me pousse à le faire, peut-être y a-t-il un peu de méchanceté là-dessous. Quoi qu'il en soit, le fait d'en parler me sert de soupape. Tous les deux, nous rencontrons plein de gens qui vivent toutes sortes de relations et nous en discutons. La fidélité fait partie de nos sujets de discussion. Moi, à l'idée de rester fidèle à une seule partenaire, j'étouffe; pourtant, je suis fidèle.

— Et que vous répond votre amie quand vous lui dites ce que vous pensez de la fidélité?

— Voilà ce qu'elle me répond: «Qu'est-ce qui t'empêche de coucher avec une femme?» Mais malgré ce qu'elle dit, je suis certain qu'elle m'en voudrait à mort si je le faisais. Quand l'occasion se présente, je me répète: «Bon, qui t'en empêche?» Et si je suis capable de ne pas aller plus loin, c'est parce qu'elle m'a donné la permission d'agir à ma guise. Il m'est arrivé, en particulier dans mon milieu de travail, de rencontrer des femmes qui me plaisaient et avec qui il aurait pu se passer quelque chose, mais il ne s'est jamais rien passé.

— Et pourquoi? lui ai-je demandé.

— J'imagine que, dans certaines circonstances, je pourrais le faire. Et même là, je ne sais pas si j'irais jusqu'au bout. Il faudrait que ce soit avec quelqu'un avec qui je ne suis pas lié émotivement, quelqu'un avec qui je n'ai pas trop d'affinités. Je sais que je pourrais tomber amoureux d'une autre femme et ça, je ne veux pas que ça se produise.

— Se pourrait-il que vous restiez fidèle à votre amie tout simplement parce qu'elle ne s'accroche pas à vous?

— C'est possible.»

Il fit une pause, puis il ajouta: «Je ne sais pas si elle est vraiment sérieuse quand elle dit que je peux faire ce qu'il me plaît, mais sa «tactique» consiste à me laisser libre. Et parce qu'elle agit ainsi, je la respecte, je l'aime encore plus, et j'ai d'autant moins envie de perdre ce que j'ai.

— Et le mariage? En est-il parfois question entre vous?» lui demandai-je en faisant subtilement dévier la conversation. Allait-il esquiver la question?

— J'ai certaines réticences face au mariage, répondit-il après quelques secondes de réflexion. C'est mon petit côté D. H. Lawrence, romantique et anticonformiste. Je refuse d'être contraint, d'être pris au piège des lois. À un certain moment, nous avons envisagé un mariage civil. Mon amie laisse entendre qu'elle aimerait bien qu'on se marie. Mais si on se mariait, ce serait pour avoir des enfants et, pour le moment, je n'en veux pas. Je lui ai dit que si elle tenait à en avoir, il faudrait qu'elle se trouve un autre gars.

— Donc le mariage, pour vous, c'est un peu un piège?

— Contrainte serait un mot plus juste, rectifia-t-il en souriant.

— Mais cela demeure pour vous quelque chose de négatif, insistai-je.

— J'ai toujours cru qu'elle voulait se caser, qu'elle tenait au mariage, continua-t-il sans répondre directement à ma question. En n'insistant pas, elle m'a pris au dépourvu. Elle m'accepte comme je suis, avec mes attitudes parfois bizarres d'anticonformiste, elle me laisse libre, et comme elle ne m'impose aucune contrainte, je me sens très bien avec elle. Un jour, sans doute, je l'épouserai.

— Vous arrive-t-il de penser qu'elle pourrait vous tromper?

— Je crois qu'elle est fidèle. Mais j'aime bien quand elle flirte. À deux ou trois occasions, je me suis dis: «Cette fois, elle l'a fait.» Ça m'a ébranlé, mais, en fait, je n'en sais rien. Il y a des moments où je prends son amour comme un fait acquis. À vrai dire, je suis plus sûr d'elle qu'elle est sûre de moi. Notre relation traverse parfois des périodes de déséquilibre quant aux rapports de forces. Dans certains cas, c'est l'équilibre des rôles masculin et féminin qui est en cause; dans d'autres cas, c'est notre travail. En ce moment, par exemple, mes affaires vont très bien.

— Que fait votre amie?

— Elle est architecte. Mais son métier ne lui procure pas encore la satisfaction que le mien m'apporte. Elle me trouve extraordinaire et elle me le dit, mais ce que je voudrais le plus au monde, c'est qu'elle réussisse.»

Ces derniers mots étaient empreints d'une chaleur qui me fit du bien. Je me calai dans mon fauteuil et jetai un coup d'œil vers la fenêtre enneigée. Il resta silencieux, lui aussi.

Puis, je lui demandai: «Parlez-moi de vos tentations.»

— À quelques reprises, au cours des deux derniers mois, la «chimie» a fait son effet. J'ai été attiré par une femme beaucoup plus jeune que moi, avec qui je sens que je pourrais avoir du bon temps. Cela dit en toute modestie, je sais, quoi qu'elle en dise, qu'elle pourrait tomber amoureuse de moi.

— Ce sont là les liens émotionnels dont vous parliez plus tôt?

— Oui, et je ne veux pas prendre le risque de m'engager émotionnellement. Il y a aussi une autre femme; celle-là est de mon âge. Mais je n'ai rien enclenché et je ne le ferai pas, parce que cela détruirait notre relation professionnelle. Aujourd'hui, je me laisse aller au flirt, mais je sublime le désir sexuel. J'ai pris conscience que le sexe est doté d'un pouvoir dévastateur. J'ai une très forte libido et, plus jeune, je croyais avoir quelque chose à prouver.

— Comment contrôlez-vous cette libido?

— Le flirt m'apporte une satisfaction et ça ne dérange personne. Ce n'est pas parce que vous savez que quelqu'un a envie de coucher avec vous que vous allez nécessairement le faire. Le flirt flatte mon ego et me rassure lorsque j'ai des doutes quant à mon pouvoir de séduction. Mais il faut avouer que rien ne remplace le plaisir de déshabiller une femme avec qui on n'a encore jamais fait l'amour. J'ai tendance à voir les gens comme autant de mets disposés sur une longue table, qu'on aimerait bien goûter un à un. Ah, mon Dieu, la vie est pleine de compromis. Non, en ce moment, je ne peux pas coucher avec qui je veux... J'avais deux ambitions dans la vie, d'abord être un grand séducteur et, ensuite, être un reporter. Renoncer à la première n'a pas été facile.»

De nouveau, un silence. Bien qu'il ne le laissât pas paraître dans le ton de sa voix, il était évident que ce changement à son image lui avait coûté bien des efforts.

«Les rapports sexuels à l'intérieur d'une relation stable vous satisfont-ils?» repris-je après quelques instants.

— Ça dépend. Parfois c'est extraordinaire, parfois c'est bon, parfois c'est raté. Mais après quatre ans d'une relation très intime, je ferais, j'en ai bien peur, un piètre séducteur.»

Son regard se perdit au loin. Dehors, les édifices voisins étaient maintenant tous tachetés de blanc; Manhattan, doucement, s'immobilisait sous la neige. Il était temps de mettre fin à notre rencontre si je ne voulais pas lui faire manquer son train.

«Avez-vous quelque chose d'autre à dire à propos de la fidélité? lui demandai-je. Des commentaires à ajouter?»

— Respecter mes engagements et apprendre à connaître l'autre, telles sont pour moi les valeurs primordiales. Avant de rencontrer mon amie, j'accordais trop d'importance à l'euphorie des premiers temps, au détriment de ce qui suit. Avec les années, mon amie change, elle évolue et je suis heureux d'être témoin de cette transformation et d'y participer. J'ai été long-temps fasciné par la découverte d'un nouveau corps féminin, mais aujourd'hui je sais que le charme, après un certain temps, ne fait plus effet. Bien que l'aspect sexuel soit encore pour moi très important, ce qui me fascine, maintenant, c'est toute la richesse de la vie intérieure de Susanne et l'évolution de notre vie en tant que couple. Le sexe pour le sexe, c'est sans intérêt.»

Pourquoi est-il fidèle?

Si j'accorde tant d'importance aux propos de Paul, tout romanti-que et non conformiste qu'il soit, c'est que son témoignage réunit la plupart des éléments — négatifs et positifs — sur lesquels il importe de méditer lorsqu'on étudie la conception masculine de la fidélité. Voici quelques mots et phrases clés à retenir.

- Je ne peux pas concevoir que je ne coucherai plus jamais avec une autre femme.
- Bon, qui t'en empêche?
- Je lui fais part de mes attirances pour d'autres femmes.
- Elle me trouve extraordinaire et elle me le dit.
- Le flirt.
- J'ai une très forte libido.

- Le sexe, pour moi, c'est très important.
- Le sexe est doté d'un pouvoir dévastateur.

Je ne peux pas concevoir que je ne coucherai plus jamais avec une autre femme. Confrontés au mot *jamais*, la plupart d'entre nous réagissent ou bien par la révolte, ou bien par la soumission. Être fidèle, pour un homme, cela veut dire ne jamais coucher avec une autre femme, mais la plupart d'entre eux ont bien de la difficulté à accepter cela. Ils ont besoin de sentir qu'ils n'ont pas perdu le contrôle de leur propre vie. C'est le cas de cet administrateur d'une station de télévision qui, bien que d'une fidélité irréprochable, a pourtant beaucoup de succès auprès des femmes. Lui aussi, d'ailleurs, s'intéresse beaucoup à elles. Mais pour ne pas se sentir pris au piège et ne pas avoir à encaisser de front l'impact du fameux «jamais», il explique qu'il se ménage un certain espace psychologique où il peut manœuvrer. «Si vous avez quelqu'un dans votre vie, dit-il, envers qui vous avez pris un engagement, vous devez prévoir une soupape de sécurité. Vous êtes dans la même situation que celui qui a renoncé à boire ou à fumer et qui se trouve devant une bouteille ou un paquet de cigarettes. La fidélité, ce doit être un choix que vous avez fait, non une obligation.»

Un autre homme reprend l'exemple de la cigarette. «Plus je me bats contre l'idée de me remettre à fumer, plus j'en ai envie. Plus on tente de se convaincre que l'on doit être fidèle, plus on se confronte à l'idée que jamais plus on ne couchera avec une autre femme, plus on a le sentiment qu'on nous oblige à agir ainsi, et c'est là que l'on commence à coucher avec toutes et chacune.»

L'idée de la soupape de sécurité est fondamentale. Un homme a besoin de sentir qu'*il a le contrôle* de ses désirs, et que c'est lui qui *choisit de s'abstenir*. «Sexuellement, je suffoquerais de ne pas pouvoir me dire que, si je le voulais vraiment, je pourrais toujours m'offrir une bonne baise», déclare un homme de trente-quatre ans, fidèle et marié depuis huit ans.

Bon, qui t'en empêche? La soupape de sécurité, ce peut être l'amie ou l'épouse qui la fournit. Une femme qui dit à son homme: «Vas-y», comme l'a fait l'amie de Paul, lui procure un sentiment d'aisance tout en renforçant le lien qui les unit. Le principe n'est pas nouveau: c'est en laissant l'autre libre de partir qu'on a le plus de chances de le garder.

J'ai rencontré une banquière qui a choisi la même attitude. Mariée à un banquier depuis six ans, elle lui a toujours été fidèle et lui aussi. «Suis-je sincère avec moi-même quand je dis à Jean que je comprendrais s'il avait une aventure d'un soir? Il voyage et il se sent parfois seul. Mon travail m'oblige souvent, moi aussi, à m'absenter. Je me dis que ce sont des choses qui peuvent arriver — à l'un ou à l'autre d'entre nous — et que cela bouleverserait notre mariage, que nous considérons tous les deux comme une réussite. Je suis certaine que, parce que je lui laisse une porte de sortie, il se sent plus à l'aise; mais si jamais cela devait arriver, je suis presque sûre que je paniquerais. Je n'ai pas le choix: mon instinct me dit qu'il a besoin de sentir que je ne le tiens pas prisonnier.»

Je lui fais part de mes attirances pour d'autres femmes. Quand une femme les attire, nombre d'hommes que j'ai interviewés le disent à leur partenaire. «Le fait de dire à Élisabeth que je trouve Une telle sexy, explique un de mes interlocuteurs, m'empêche jusqu'à un certain point de me laisser aller à mes impulsions.

— Et cela, lui demandai-je, peut aussi avoir l'effet de la rendre un peu jalouse, n'est-ce pas?

— Justement. En agissant ainsi, je l'agace et, le soir, au lit, on ne fait pas l'amour tout à fait de la même façon. Ça ajoute un petit quelque chose. La pensée de l'autre femme la rend compétitive et elle est plus attentive à mes besoins. Elle aussi me fait part de ses sentiments envers les autres hommes et j'ai la même réaction. Ça me flatte de savoir qu'elle plaît aux autres. Nous avons de longues conversations à ce sujet et je crois que c'est une des raisons pour lesquelles, après neuf ans, notre vie sexuelle est encore si riche.»

Pour un homme fidèle, le fait de dire quelle femme l'excite et quelle femme ne l'excite pas constitue une façon de désamorcer l'impulsion sexuelle qui, inévitablement, surgit de temps à autre. Une femme avertie, au lieu de s'effrayer de ces alertes, comprend ce qui se passe et, en retour, voit sa perspicacité récompensée par une intimité encore plus grande avec son conjoint.

Un thérapeute new-yorkais souligne un point important: «Les couples qui se dissimulent leurs attirances sexuelles courent plus de danger que les autres. Il n'y a rien de mal à avoir des envies, des désirs. Mais la probabilité est plus grande que l'on réalise ces fantasmes si on ne peut pas en faire part à votre partenaire.»

Elle me trouve extraordinaire et elle me le dit. Quand l'amie de Paul lui dit qu'il écrit bien, qu'elle le trouve beau, qu'il fait l'amour comme un dieu, elle a recours au *renforcement*, un des principes de base en psychologie du comportement.

Selon ce principe, si vous complimentez l'autre sur un aspect de sa personne qui lui tient à cœur — par exemple, son travail, son apparence, ses talents, ses performances sexuelles — il ne vous en appréciera que davantage. En répétant à Paul combien elle le trouve «extraordinaire», Susanne renforce continuellement l'attachement qu'il éprouve envers elle.

Le flirt. «Je suis fidèle, explique un homme fort attrayant, mais la vie serait intenable si je ne pouvais pas entretenir certains liens sexuels avec les autres femmes. Je crois que le nom le plus juste que je puisse donner à ce lien, c'est le flirt. Un clin d'œil, un sourire enjôleur, un bras que l'on frôle — autant de petits cadeaux qui font du bien. Le flirt donne du piquant à la vie. Il fait de vous un être sexué en toutes circonstances, pas seulement avec votre femme.»

Le flirt, c'est un autre moyen de soutenir l'ego qui s'effondre — et qui, homme ou femme, n'a jamais senti s'effondrer son ego? Un regard séducteur, un coup d'œil appréciateur, une main qui frôle la vôtre, et vous voilà de bonne humeur pour le reste de la journée. «Je ne crois pas au mariage «ouvert», me dit un ami écrivain, mais je suis pour une certaine ventilation.» Le flirt donne à la relation de l'élasticité sans pour autant en briser les liens.

J'ai une forte libido. Le sexe, pour moi, c'est très important. J'ai déjà mentionné qu'à deux ou trois exceptions près, tous les hommes que j'ai interviewés m'ont dit être dotés d'une énergie sexuelle «au-dessus de la moyenne».

Tout au long de sa vie, l'homme a conscience de sa sexualité, de la présence et des réactions de son pénis. Or, la plupart des femmes ne savent pas cela, ou, si elles le savent, elles ne semblent pas en tenir compte. L'homme, lui, en tient compte; il est à l'écoute de sa sexualité de façon constante, à toutes les étapes de sa vie. «L'homme ne fait qu'un avec son pénis; la femme, elle, est capable de faire abstraction de son vagin», affirme un de mes interlocuteurs. La plupart des hommes seraient d'accord avec cette opinion.

Selon un des psychothérapeutes avec lesquels je me suis entretenue, les hommes évaluent entre eux leur virilité selon le nombre de femmes avec qui ils ont fait l'amour: «Nombreux sont les hommes pour qui leur pénis fait partie intégrante de leur identité. Chez une femme, l'identité ne se résume pas à la sexualité. Les femmes recherchent plus la sécurité et ne s'iden-tifient pas d'abord à leur sexualité.»

L'homme fidèle est tout aussi conscient de sa sexualité que l'homme infidèle. Il perçoit toutes les occasions d'échange sexuel; il a besoin qu'on lui renvoie de lui-même l'image du tombeur romantique; ses hormones déclenchent l'alarme chaque fois qu'il croise une belle femme; dans ses plus chers fantasmes, il s'imaginera en train de la déshabiller pour la première fois; il voit déjà les draps froissés; il entend les bruits intimes de leur corps.

«Les femmes ne doivent jamais oublier, note un psychiatre, que les hommes ont besoin de sentir qu'ils sont les meilleurs amants du monde.» Paul en est un parfait exemple. Il s'est toujours perçu d'abord comme un amant, ensuite comme un reporter; un très grand nombre d'hommes, fidèles ou pas, se perçoivent de la même façon.

Le sexe est doté d'un pouvoir dévastateur. Tous les hommes s'accordent à dire que la sexualité est quelque chose d'important, mais les hommes fidèles, eux, y voient aussi une menace à l'amour et à la confiance.

«Une seule fois, j'ai fait l'amour avec une autre femme, avoue un homme, et cela a suffi à déclencher l'alarme. Cela m'avait plu et je ne demandais qu'à recommencer. Mais je savais qu'il me fallait tout de suite abandonner ce genre d'aventure sinon, je ne pourrais plus m'arrêter et je risquais de détruire mon mariage si jamais je tombais amoureux. Je n'ai jamais oublié cette femme; même aujourd'hui, je sais où elle habite et j'ai encore son numéro de téléphone. Il m'est arrivé, parfois, de décrocher le récepteur pour l'appeler — certains soirs où j'avais trop bu ou fumé un joint. C'est la seule fois où j'ai trompé ma femme, et il y a de cela onze ans.»

L'infidélité, cela se joue à deux. Premier élément de l'équation: l'homme et les émotions qu'il ressent. Deuxième élément de l'équation: l'autre femme. Or, que ressent cette femme? Dans bien des cas, elle éprouvera un sentiment amoureux puisque, à l'instar de la plupart des femmes, elle perçoit l'acte sexuel en termes d'amour. Et une femme qui croit être en amour avec un homme a le pouvoir de le retenir.

Écoutons l'histoire de cet homme fidèle de qui une autre femme était amoureuse. «J'avais toujours eu envie d'une amitié avec une femme, raconte-t-il, et il me semblait que Martine était la personne toute désignée. Elle était mon associée; ma femme et elle étaient copines; elle adorait mes enfants, connaissait mes qualités et tolérait mes défauts. Nous avions fait l'amour une fois, avant mon mariage, et nous en étions alors tous deux arrivés à la conclusion que cela avait été un «accident» et ne se reproduirait plus... Un jour où nous déjeunions ensemble au bureau — je la revois clairement en train de verser la crème dans son café —, elle me dit: «Denis, je t'aime. Je t'aime depuis le soir où nous avons fait l'amour.»

«Il nous arrivait souvent de nous taquiner et d'abord je crus qu'elle me faisait marcher. Mais elle était sérieuse. Quatre années avaient passé depuis «ce soir-là»; nous étions maintenant mariés tous les deux et nous avions chacun deux enfants! Cet événement se situait pour moi dans le cadre d'une simple amitié; et bien sûr, je croyais qu'il en avait été de même pour elle.

«Elle voulait que nous fassions l'amour encore une fois. Son désir était si fort qu'il éveilla le mien. J'aimais Hélène, ma femme — et jamais je ne l'avais trompée. Mais la pression était terrible.

«Je voyais Martine tous les jours et, même si elle essayait de ne rien laisser paraître, c'était toujours là entre nous. Enfin, incapable de subir plus longtemps cette atmosphère, je racontai tout à ma femme et décidai de mettre fin à mon association avec Martine. Tel fut le prix à payer pour quelques heures de bon temps entre copains. Cette histoire m'a beaucoup changé.»

Tomber amoureux est une des conséquences catastrophiques de l'infidélité, mais qui ne se produit pas dans tous les cas. Il est une autre conséquence, toutefois, celle-là inévitable et tout aussi dévastatrice: c'est la destruction de la confiance mutuelle. Les hommes fidèles y reviennent sans cesse. Même si jamais leur femme ou leur amie ne devait être mise au courant, disent-ils, la plus petite aventure serait un accroc à leur entente, qui briserait la confiance.

«La tentation de coucher avec d'autres femmes se fait plus forte quand je suis loin et que je me sens seul, ou quand notre relation traverse une période difficile», raconte un homme que ses affaires obligent à partager son temps entre deux grandes villes. «Mais je sais que si je succombe, je ne pourrai plus regarder ma femme dans les yeux et que ce serait trahir la confiance que j'ai mis quatre ans et demi à construire. Quand on sait combien il est difficile de bâtir cette confiance mutuelle, on comprend qu'on a tout à perdre.

— Qu'arrive-t-il, demandai-je à cet homme, quand vous vous sentez seul ou quand les «périodes difficiles» durent trop longtemps? Comment vivez-vous votre sexualité?

— Je me masturbe — parce que, pour moi, le sexe c'est très important. Ou bien je me plonge dans le travail jusqu'au cou; ça chasse les mauvaises pensées. En dernier ressort, je vais à la piscine et je nage jusqu'à l'épuisement. Puis je reviens à l'hôtel, je me masturbe et je m'endors. Si le sommeil ne vient pas, je prends un somnifère; j'en garde toujours quelques comprimés à portée de la main pour les nuits trop longues. Mais aussi difficile que cela puisse être parfois, jamais je ne coucherai avec une autre femme.»

CHAPITRE CINQ

Chambre d'hôtel à Chicago

Les propos des hommes fidèles, nous l'avons vu, ne manquent pas d'intérêt et sont très instructifs. Mais les hommes infidèles nous apprennent encore plus, puisque ce qu'ils racontent nous permet d'observer au-delà des faits, de l'intérieur, ce qui ne va pas. Une fois qu'une femme a compris où le bât blesse, qu'elle a élucidé le pourquoi et le comment de la chose, elle dispose d'une pièce importante du puzzle qui lui permettra de protéger l'unité du couple qu'elle forme avec son compagnon. Lisez attentivement les pages qui suivent; des hommes vous y confieront les aspects les plus intimes de leur vie.

C'est par une belle journée de mai, ensoleillée et balayée de grands vents, que je rencontrai Benoît R. dans une chambre d'hôtel de Chicago. Un ami m'avait suggéré d'interviewer cet homme qui, de son propre aveu, avait eu «d'innombrables aventures». Je connaissais déjà Benoît pour avoir été à une réception que sa femme et lui avaient donnée, il y avait de cela quatre ou cinq ans. Une soirée inoubliable. Je me revois dans leur demeure, déambulant parmi les feux que jetaient des milliers de bougies. Les jeux d'ombre et de lumière faisaient briller d'un éclat féerique les planchers de chêne, le mobilier beige et les murs laqués où était accrochée une exceptionnelle collection d'œuvres d'expressionnistes allemands dans leurs cadres somptueux.

Dans la salle à manger ainsi qu'à une des extrémités du très long salon, avaient été installées une douzaine de tables rondes.

Sur chaque table, où étincelaient le service de porcelaine antique et la verrerie de cristal, avait été posé un ravissant bouquet blanc composé de freesias, de muguet, de roses et de tulipes. À l'autre extrémité du salon, une jeune femme aux longs cheveux blonds, drapée dans un robe de chiffon ivoire, laissait délicatement glisser ses doigts sur les cordes d'une harpe. L'ensemble relevait du plus grand chic. Aucun détail n'avait été négligé.

Je n'avais échangé que quelques mots avec Marthe, l'épouse de Benoît. C'était une femme plutôt grande, à la fin de la trentaine, qu'on pouvait facilement imaginer figurant en page couverture d'un magazine de mode. Son charme fascinant et sa grande élégance rehaussaient sa beauté un peu froide. Dans ce décor resplendissant, Marthe et Benoît, confiants et détendus, souhaitaient ensemble la bienvenue à leurs invités. Ils étaient, ce soir-là, l'image même du couple uni.

Quelques années plus tard, en cette belle journée de mai, je me trouvais encore une fois à Chicago où j'attendais Benoît dans une chambre d'hôtel pour lui poser des questions sur la fidélité.

J'avais demandé qu'on apporte du café à la chambre et tout en faisant tourner la cuiller dans ma tasse, je contemplais les moutons d'écume sur le lac Michigan. Que savais-je de Benoît? Par mon collègue, j'avais appris qu'il avait épousé Marthe en secondes noces et qu'ils avaient trois enfants, un fils et deux filles. Je savais aussi qu'il était dans les affaires, qu'il s'était taillé une place fort enviable dans le domaine de l'équipement électronique et qu'il avait vendu un an plus tôt son entreprise à un important conglomérat.

Benoît était âgé de quarante-trois ans. De ses deux mariages, j'ignorais à peu près tout; j'imaginais qu'il avait d'abord été un mari infidèle, puis qu'avec Marthe, dont il partageait la vie depuis neuf ans, il avait opté pour la plus parfaite fidélité.

À dix heures précises, il fut là, vêtu d'un pantalon d'exercice gris en coton ouatiné et d'un sweat-shirt à capuchon, son sac de tennis à la main et un blouson orange pendu négligemment à son épaule. Son visage, bruni par le vent et le soleil de mai, resplendissait de santé. Il entra, déposa son sac sur un fauteuil pour me serrer la main et prit place sur le canapé devant le plateau où était posé le café. C'était un bel homme aux cheveux courts d'un blond roux mêlé de gris; il avait les yeux d'un bleu limpide et l'allure décontractée de l'homme mûr dont le corps a conservé toute sa souplesse.

En s'excusant, il me dit préférer le thé et je téléphonai pour qu'on nous en apporte.

Je l'avais mis au courant, lorsque nous avions pris rendez-vous, des sujets que nous allions aborder, en précisant que l'entrevue allait durer deux bonnes heures.

«Je sais que votre temps est précieux, lui dis-je, je vous propose donc de commencer tout de suite l'entrevue, à moins que vous n'ayez d'abord des questions à me poser.

— J'ai tout mon temps, ne vous sentez pas obligée de vous presser, répondit-il avec un sourire engageant. Jacques a dû vous dire que j'avais vendu mon entreprise. En ce moment, je ne travaille pas. En fait, je ne sais pas encore à quoi je vais occuper le reste de ma vie. Alors, vous voyez, nous prendrons le temps qu'il faudra.

— Magnifique! En guise d'introduction, donc, comment définiriez-vous la fidélité? Répondez rapidement, sans trop réfléchir; je ne veux pas la définition du dictionnaire.

— La fidélité, c'est un choix, dit-il après une courte pause. Une femme à la fois. Une relation à la fois.

— Maintenant, parlez-moi de vous. Je ne sais pas grand-chose à votre sujet. Où êtes-vous né? Où avez-vous fait vos études? À quel âge vous êtes-vous marié? Racontez-moi.

— Je suis né ici, à Chicago, dans un quartier modeste. Mon père était boulanger. J'étais sportif; mes parents auraient voulu que je fréquente une université de la région, mais j'ai décroché une bourse d'études d'une université du Texas où l'on forme les athlètes professionnels.»

Puis il enchaîna.

«Vous voulez que je vous dise ce que je pense de la fidélité? Eh bien, j'ai ma petite théorie à propos des hommes et des femmes. La plupart des gars, quand ils sont jeunes, ne savent pas comment se comporter avec les filles. Dans chaque groupe, il y en a deux ou trois qui paraissent bien, qui savent danser; les autres sont plutôt moches. Moi, quand je téléphonais à une fille, je me faisais une liste de huit sujets à aborder tant j'avais peur de me trouver tout à coup à court de conversation. Les gars qui font partie d'une équipe de football universitaire rencontrent inévitablement beaucoup de filles. Tous les week-ends, les plus vieux m'organisaient un rendez-vous galant. J'avais pris l'habitude de mettre fin à mes amourettes le vendredi soir et de revendre les filles à des gars de mon groupe ou à des profs. Les filles, bien sûr, n'étaient pas au courant. C'étaient des collé-giennes des environs, reconnues pour leur sens développé de la camaraderie...

— Vous revendiez les filles? Qu'entendez-vous par là?

— Eh bien, je pouvais échanger une fille contre un A dans un cours, ou encore en refiler une autre à des copains parce que j'avais besoin d'argent. Ce n'est pas très moral, je sais; en fait, ce furent des années plutôt difficiles pour moi. Je voyais tous ces couples qui se tenaient par la main et je les enviais. J'aurais aimé rencontrer quelqu'un avec qui j'aurais été vraiment bien. Quand j'ai connu ma première femme, étudiante elle aussi, j'ai cru que j'étais sauvé. Finie la peur de ne jamais être aimé et de devenir un espèce de dégénéré à cause de tout cet alcool que j'ingur-gitais et de toutes ces filles avec qui je sortais. Il faut savoir ce que c'est d'être un joueur étoile dans une importante équipe universitaire; je n'étais pas vraiment fait pour ce rôle et je me sentais seul. Je voyais dans le mariage ma planche de salut. À cette époque, je pensais poursuivre ma carrière comme joueur de football. Je n'étais pas amoureux de ma femme, mais avec elle, je me sentais bien, mieux que je ne m'étais jamais senti. Je me suis marié à vingt-deux ans. Les premiers temps, il ne me serait même pas venu à l'idée de m'intéresser à d'autres femmes; la fidélité, ça allait de soi.»

Benoît se tourna vers le plateau où était posée la théière et se versa une seconde tasse. Puis il se leva et se dirigea vers la fenêtre. Pendant un moment, son regard erra sur la ville; il vint se rasseoir et, de nouveau, croisa les pieds sur la table basse placée devant lui.

«Un an et demi après mon mariage, reprit-il en me regar-dant droit dans les yeux, une fille de vingt-six ans m'a invité à son appartement. À ce moment-là, j'étais de retour à Chicago, j'avais abandonné le football et je cherchais une façon de gagner ma vie. J'avais déniché un emploi dans une boîte où mon travail consistait à expérimenter des techniques de vente. Cette fille travaillait là, elle aussi. Je me suis dit: «Mieux vaut profiter de l'occasion avant qu'elle prenne conscience de ce qui se passe et qu'elle modère ses avances.» Je ne ressentais aucune culpabilité. Je me serais senti en faute si j'avais eu moins de temps à consa-crer à ma famille, mais ce n'était pas le cas, puisque nos rencontres avaient lieu pendant l'heure du déjeuner. Puis, à partir de là, tout s'est enchaîné. Je me suis mis à sortir beaucoup, mais je ne me sentais pas à l'aise dans ce genre de vie. Au centre sportif, je bavardais avec les gars dans les vestiaires; eux aussi faisaient la même chose, mais tout cela ne me paraissait pas normal. Je me répétais: «C'est terminé, plus jamais. J'ai eu ma leçon. Ce n'est pas cela que je veux.» Puis, dans l'ascenseur, je me trouvais face à face avec une jolie fille et instantanément j'oubliais les réflexions que je m'étais faites huit étages plus haut.»

Il décroisa les pieds, puis les croisa à nouveau. Changeant de ton, il me dit: «Je vois que vous avez toute une liste de questions à me poser, mais pour moi, c'est plus facile de me raconter ainsi. Y voyez-vous un inconvénient?

— Pas du tout, répliquai-je. Votre histoire est fascinante et elle intéressera certainement les femmes qui la liront. Je vous écoute avec la plus grande attention.»

Pendant qu'il réfléchissait, la tête penchée vers l'arrière, les yeux fixés au plafond, je jetai un coup d'œil discret à mon magnétophone.

«Faire l'amour avec quelqu'un qu'on ne connaît pas, reprit-il, c'est un peu comme lire une pièce de théâtre au lieu d'assister à sa représentation. Cela a parfois ses avantages; la lecture permet à votre imagination de donner à la pièce encore plus de réalité que si elle était jouée sur scène. Quand vous ne connaissez que certains aspects d'une personne, votre imagination complète le portrait en lui prêtant toutes les qualités imaginables. De même, quand vous faites l'amour avec une femme que vous ne connaissez pas, vous imaginez qu'avec celle-là ce sera différent. Mais au bout du compte, le résultat est toujours le même: nul.

«À une certaine époque, j'ai eu une maîtresse que je voyais toutes les semaines ici même, à cet hôtel. Je m'étais créé comme une oasis au milieu des rendez-vous d'affaires. J'échappais ainsi au travail, à la pression. Pendant quarante-cinq minutes, je me réfugiais dans une chambre comme celle-ci pour vivre quelques moments de sensualité. Une soupape, quoi! Cette femme était très belle, mais si nous avions dû, chaque semaine, dîner ensemble avant de faire l'amour, ça n'aurait pas duré quinze jours. J'ai vécu ainsi pendant un an, me permettant, parallèlement, quelques brèves aventures ici à Chicago ou au cours de mes voyages d'affaires. Puis, j'ai rencontré quelqu'un qui m'a fait prendre conscience que ce que je cherchais, ce n'était pas un simple contact physique, mais l'amour. Je suis tombé amoureux de Marthe, ma seconde femme.»

Il fit une pause et je ne dis rien, attendant qu'il reprenne le fil de son histoire. Mais il resta silencieux, observant par la fenêtre les nuages gris qui s'amoncelaient au-dessus du lac Michigan où maintenant déferlaient de petites vagues à crêtes blanches.

«Qu'est-ce que Marthe avait de si différent des autres? dis-je, rompant enfin le silence. Pourquoi en êtes-vous tombé amoureux?»

— J'ai toujours été un homme très tendu et le seul moment où j'arrive à relaxer, c'est quand je fais de la voile sur le lac, seul ou avec les enfants. En tout autre temps, je suis pressé, pressé de passer à autre chose; je ne prends jamais le temps de jouir du moment présent. Aussi ai-je toujours été attiré par les gens détendus, et Marthe est comme ça. Sa voix est douce, jamais brusque. Physiquement aussi, c'est mon genre de femme. Après neuf ans, cela m'excite encore de la voir se déshabiller. La chimie est bonne.»

Je me souvenais de Marthe R., du charme et de la sérénité qu'elle dégageait lorsqu'elle circulait au milieu de ses invités. Benoît aussi, ce soir-là, m'avait paru tout aussi calme, bien que je ne l'aie aperçu qu'à de brefs intervalles. Et cette fois-ci encore, en entrevue, il me paraissait aussi calme et détendu qu'il est possible de l'être.

«J'ai toujours été un homme très tendu, reprit-il comme s'il avait lu dans mes pensées. Mais depuis un an, j'essaie de prendre plus soin de moi. Marthe m'a transmis un peu de son esprit de tranquillité... J'aime Marthe.»

Encore un silence. Puis il poursuivit, les yeux tournés vers le lac.

«Mais j'ai eu d'autres aventures, même après l'avoir épousée. En fait, depuis que je suis avec Marthe, quatre autres femmes ont compté. Avec la première, il ne s'est rien passé. À cette époque, je travaillais toutes les nuits jusqu'à deux heures avec un groupe de personnes parmi lesquelles se trouvait une jeune directrice de marketing. Il ne s'est rien passé parce qu'elle a insisté pour qu'il en soit ainsi. Elle me faisait beaucoup penser à Marthe; comme elle, elle ne perdait jamais son calme, même dans les pires situations...

«Puis j'ai eu une aventure avec une femme que j'avais rencontrée à Washington. Je l'ai vue une fois par mois pendant deux ans. Elle était amoureuse de moi, gentille, attentive; elle avait un mari formidable. Je me suis senti très coupable dans cette relation parce que je n'étais pas absolument sincère. Je lui disais que je ne voulais pas briser mon mariage à cause des enfants; si j'avais été honnête, je lui aurais dit qu'il n'était pas question que je quitte Marthe. J'ai cessé de la voir le jour où je me suis dit que je lui faisais du mal.

«Ensuite, je me suis entiché d'un pétard de fille. Encore une soupape au stress. Quand j'ai commencé à la voir, je suis allé consulter un thérapeute. Je lui ai dit: «Il faut que j'arrête ça!» Vous voulez savoir ce qu'il m'a répondu? Moi, ça m'a choqué. Il m'a dit à peu près ceci: «Ne soyez pas si exigeant envers vous-même. La vie que nous menons n'a rien de bien stimulant; vous cherchez un peu d'aventure, il n'y a rien de mal à cela.» Il n'y a rien de mal à cela, me suis-je dit, à condition de ne pas être pris et de ne pas perdre ainsi ce à quoi on tient. Si je tiens à ma femme et que je l'aime, je suis fou de courir le risque de briser ce mariage. J'ai mis fin à la thérapie et j'ai cessé de courir les femmes. Cela se passait il y a quatre ans...»

Il décroisa les jambes et haussa les épaules. À en juger au ton de sa voix, j'aurais parié qu'il allait terminer sa phrase en disant: « ... et je n'ai plus jamais trompé ma femme.»

«La quatrième femme dont je me suis épris, dit-il alors, je l'ai rencontrée il y a environ un an, au moment où j'ai vendu mon entreprise. Les événements nous ont mis en présence l'un de l'autre et ce qui devait arriver arriva. Je ne travaillais pas et ma femme, de son côté, était de plus en plus accaparée par le bénévolat qui prend tout son temps et son énergie. J'étais plutôt détendu, mais Marthe, elle, rentrait à la maison stressée et préoccupée. Je savais que son travail bénéficiait à la communauté mais je n'acceptais pas que sa tension vienne perturber ma tranquillité. J'avais envie de changer de vie. La femme que j'ai rencontrée était Européenne; elle voulait retourner en France y mener une vie tranquille. C'était exactement ce que je cherchais: un petit monde à moi, paisible. J'étais terriblement torturé à l'idée d'abandonner Marthe et les enfants, mais je l'aurais fait si cette femme n'avait pas mis fin elle-même à notre relation. Elle a rencontré un autre homme, et ils se sont mariés il y a déjà plusieurs mois.»

Le ciel s'était couvert. J'allumai la lampe pour donner un peu de chaleur à la pièce. Nous étions là depuis près de deux heures.

«Et maintenant?» demandai-je.

— La tension qui règne à la maison me rend fou. Marthe a entrepris de tout redécorer. Je passe le plus de temps possible sur le bateau et au gymnase. Bien que je déteste la solitude, sur le bateau je l'accepte; le lac m'apporte la paix et me permet de réfléchir. J'espère toujours qu'avec le temps, Marthe et moi allons retrouver un même rythme de vie. Si cela se produit, tout ira mieux dans le meilleur des mondes. C'est pour cela que j'hésite à lancer une nouvelle entreprise. J'attends.»

Avait-il encore une maîtresse? Je n'osais pas lui poser la question.

«Pensez-vous que Marthe est au courant de vos aventures?»

Il resta silencieux un long moment.

«Oui, probablement. Elle savait, je crois, que je couchais avec d'autres femmes. Mais elle n'y a jamais vu quoi que ce soit de sérieux. Elle ne sait rien de mes sentiments envers les femmes dont je vous ai parlé. Je ne sais pas comment elle aurait réagi si elle y avait perçu autre chose que de simples escapades sexuelles. Elle m'aurait probablement quitté.

«Vous savez, reprit-il en me regardant encore une fois droit dans les yeux, on aura beau se trouver des excuses, prétexter le grand stress, la beauté irrésistible des femmes, faire valoir que ce sont des choses auxquelles il est difficile de résister, il n'en reste pas moins que notre attitude est malhonnête, que l'on trahit la confiance qu'on a mise en nous. J'ai toujours eu à cœur de tenir parole, de ne pas mentir. En affaires, je n'ai jamais triché. Par contre, là où l'honnêteté compte le plus, j'ai trahi. C'est idiot.

— Avez-vous eu d'autres maîtresses depuis cette Européenne?

— Non, depuis huit mois je suis fidèle. Et je compte bien le rester.

— Avez-vous l'impression que vous pourriez demeurer l'homme d'une seule femme jusqu'à la fin de vos jours?

— J'ose espérer qu'il en sera ainsi. Chose certaine, jamais plus je ne coucherai avec une femme à cause d'un simple attrait physique. Si je succombe aux charmes d'une autre femme, ce sera pour des motifs plus importants.»

Qu'entendait-il exactement par là? J'allais le lui demander quand il reprit.

— Oubliez ce que je viens de dire; je me mentais à moi-même. Je n'aurais pas la volonté de résister à une femme qui m'intrigue. Par contre, je rentrerai chaque soir à la maison; ça, c'est certain. Mon mariage me tient trop à cœur pour que je le mette en danger. Pas plus tard que tout à l'heure, j'ai croisé sur mon chemin une femme magnifique qui déambulait sur Michigan Avenue. «Merde, que je me suis dit. C'est reparti!» Dieu merci, elle avait une cigarette aux lèvres.»

L'homme à femmes

Les hommes comme Benoît font partie des spécimens de compétition dont il a été question dans le chapitre précédent. On leur accole souvent l'étiquette d'hommes à femmes. Marcello Mastroianni, Picasso, John Kennedy et Gary Hart sont parmi les séducteurs les plus connus.

Prenez le cas de Gary Hart, ex-candidat à la direction du Parti démocrate aux États-Unis. Dans une entrevue au *New York Times*, une psychanalyste de Los Angeles expliquait que l'attitude de Hart pouvait en partie être attribuée «à une tendance à se laisser séduire quand on est entouré par une foule d'admirateurs et qu'on déroule sous vos pieds le tapis rouge».

Benoît a vécu le même scénario. «J'avais de plus en plus de succès en affaires, dit-il. Le complet trois-pièces me seyait à merveille et les femmes de moins de trente ans se disaient: «Dieu, que cet homme sait bien mener une réunion. C'est un homme intelligent et distingué.» Tout ça, c'est un jeu de pouvoir et d'admiration. Ajoutez-y le goût du risque. Et les occasions... Je connais un menuisier dans un bled perdu, un gars magnifique. Il aime sa femme, mais il donnerait n'importe quoi pour avoir une aventure. S'il était dans le domaine de l'édition ou de la publicité, il aurait plein de filles, qu'il le veuille ou non.»

Séduction, conquête, risque, aventures, occasions, tels sont les thèmes récurrents de l'histoire de l'homme à femmes, qu'il soit pdg, vendeur, menuisier, artiste ou analyste en informatique. Mais toute médaille a son revers. Pour vous faire une meilleure idée du portrait type de l'homme à femmes, écoutez d'abord le témoignage de l'un d'entre eux, un homme fort intelligent.

«Je répondrai avec plaisir à vos questions, avait-il déclaré quand je lui avais proposé l'interview; la fidélité est un sujet auquel j'ai beaucoup réfléchi.» Il fut donc entendu que nous nous rencontrerions à mon bureau du centre-ville à seize heures, le mercredi suivant.

Gérard T. a des yeux bleus à la Paul Newman. Toute sa personne dégage une impression de fraîcheur et de propreté. C'est un bel homme et, bien qu'il en soit très conscient, cela ne l'empêche pas de porter une intense attention à la personne avec qui il parle, ce qui a pour effet de le rendre encore plus séduisant. Trente-neuf ans, marié depuis treize ans, il a deux fils de neuf et onze ans. L'entrevue porta d'abord sur sa femme, sur sa famille et sur ses premières expériences de séducteur.

«À l'école, il y avait d'un côté les gars qui buvaient, pariaient et jouaient au football, et de l'autre ceux qui couraient les filles. Je faisais partie du second groupe; notre sport à nous, c'étaient les femmes. Ce n'est pas parce que l'on se marie que l'on cesse d'exploiter ce talent... Je me suis marié à vingt-six ans. J'avais batifolé à mon goût et le temps était venu, croyais-je, de m'assagir et de fonder une famille. J'ai été fidèle pendant trois ans, mais ce ne fut pas facile. Mon aîné avait près d'un an quand j'ai repris mes anciennes habitudes. Je travaillais pour une firme de courtage immobilier qui employait beaucoup de femmes. La mienne était partie avec le bébé visiter ses parents. Un soir, au lieu de rentrer à la maison regarder la télé, j'ai invité une de mes collègues à dîner au restaurant.

«À sa suggestion, nous avons opté pour un restaurant situé dans un hôtel des environs. Elle avait tout planifié: le restaurant, la table en retrait, tout; elle avait même réservé une chambre à l'hôtel. Après le repas, elle m'a avoué son manège en riant et elle a dit «Allons-y!» comme si tout cela n'avait été qu'un jeu. Elle s'est levée et nous sommes montés à la chambre. Bien sûr, elle ne s'était pas donné tout ce mal pour rien; elle attendait quelque chose de cette soirée, une relation, un engagement, une promotion. De mon côté, j'étais emporté par l'excitation que réveillait en moi toute cette mise en scène. J'avais bu et je me suis réveillé le lendemain matin bourré de remords. Je ne saurais vous décrire l'état dans lequel j'étais. Durant les mois qui ont suivi, il ne s'est rien passé; puis nous avons eu une seconde soirée magnifique. Mon mariage me paraissait solide, mais notre vie sexuelle n'était pas très excitante. Avec cette femme, il y avait l'attrait de la nouveauté. J'ai d'abord eu très peur d'être pris; mais, peu à peu, cette crainte s'est estompée et comme ma famille ne semblait pas devoir souffrir de la situation, ma culpabilité aussi s'est émoussée.»

Il fit une pause et reprit.

«C'est d'abord la «chasse» qui motive les hommes infidèles, bien plus que la conquête elle-même. On voit une jolie femme et on se dit: «J'aimerais bien passer la nuit avec elle.» De là, on planifie une stratégie. C'est un défi. Il y a cinquante gars qui ont eu la même idée. C'est comme un sport, ou, si vous préférez voir les choses du point de vue de la psychologie, c'est la chasse à la mère, cette femme qui ne pouvait pas être la nôtre. Un homme qui cherche à capter l'attention d'une femme se trouve en situation de forte compétition et doit mettre à contribution toute l'ingéniosité dont il dispose. S'il réussit, il en éprouvera un immense plaisir, une terrible satisfaction; c'est l'apothéose. Pour les gars comme ça, les gars dans mon genre, la magie s'arrête là, à la conquête; la suite, d'une fois à l'autre, est sans intérêt. C'est la course qui compte, plus que le fil d'arrivée. Si on ne finit pas la course, on cherche tout de suite quelqu'un d'autre pour rassurer son ego. Si on gagne la course, on n'a qu'une seule idée en tête: retrouver encore une fois cette sensation de plénitude. Peut-être la prochaine fois la magie survivra-t-elle à la conquête. Alors, on repart de plus belle.

— Vous pensiez vraiment qu'avec une de ces femmes, la magie se concrétiserait et que vous alliez tomber amoureux?

— Pas vraiment. Je ne cherchais pas ce genre «d'amour». Tomber amoureux aurait signifié quitter ma femme et je n'étais pas prêt à le faire. Mais pourtant, c'est ce qui est arrivé.

«Un soir où nous avions travaillé tard, j'avais invité Nicole, ma secrétaire, à dîner au restaurant. Ce jour-là, j'ai constaté que la personne qui s'en faisait le plus pour moi, qui était la plus présente dans ma vie, c'était Nicole. Ma femme terminait des études universitaires, et même si elle s'occupait merveilleusement bien des enfants et de moi, d'une certaine façon elle n'était pas présente. Mes propos, je sais, peuvent paraître égoïstes, mais j'avais été habitué à ce que ma femme soit toujours là. Selon moi, elle ne m'avait pas donné le temps de me préparer à cette absence. Le soir où j'ai emmené Nicole au restaurant, je me suis aperçu qu'elle était plus près de moi que ma femme et je suis tombé amoureux d'elle; profondément amoureux, comme jamais je n'aurais pensé pouvoir l'être. J'étais prêt à laisser ma famille, tout ce que j'avais bâti.

«Nicole avait dix ans de moins que moi. Elle était séduite par l'image du père: le pouvoir, l'intelligence, l'énergie. Son plus grand principe était la loyauté envers le patron. Sexuellement, nos rapports étaient extraordinaires. Elle m'adorait et m'était totalement acquise. Alors je me suis dit: «En voilà assez! Finie la chasse, j'ai trouvé ce que je cherchais; j'ai trouvé la magie. Cette fois, je m'engage. Divorce. Fidélité. Je fais le grand saut. Même un autre enfant» — Nicole en voulait un.

«Le processus de séparation était enclenché, mais ces choses-là prennent du temps. Or, pendant un voyage d'affaires, j'ai passé une nuit avec une autre femme et Nicole l'a découvert. Cette femme n'était rien pour moi, bien sûr. Je me sentais seul et cette femme est venue vers moi. Une histoire de sexe, rien d'autre; une nouvelle conquête. Mais Nicole m'a quitté. Elle m'a dit qu'elle était au courant de la vie que je menais auparavant et qu'elle était certaine, maintenant, que j'aurais la même attitude après notre mariage. Elle ne pouvait pas accepter cela. Il lui fallait un homme fidèle.

— Et vous êtes incapable de rester fidèle? Même quand la magie est là?

— Une fois qu'un gars a pris goût à ce jeu et qu'il y excelle, il y a bien des chances qu'il continue. J'ai tenté de convaincre Nicole que je pouvais être fidèle, mais elle ne m'a pas cru; et je crois qu'elle a eu raison.

— Après Nicole, que s'est-il passé?

— J'ai repris le jeu et je joue toujours. Ma femme, jusqu'à un certain point, est au courant. Elle m'a repris après la catastrophe. Elle n'est pas dupe, mais elle se protège en essayant de ne pas en tenir compte.

— Et s'il vous arrivait encore une fois de tomber amoureux?

— J'accepte de courir le risque. D'une part, je me dis que cela ne se reproduira pas. D'autre part, si cela devait arriver, ce serait le divorce. Je joue avec le feu, mais je n'y peux rien.»

Il eut un petit sourire aigre-doux, puis conclut:

«La chasse, la victoire: c'est un plaisir dont je ne saurais me passer.»

L'homme à femmes — dont Gérard T. est un parfait exemple — est absolument incapable de résister à l'attrait de l'infidélité. Pour ce genre d'homme, après quelques jours, parfois même après quelques heures, la fidélité devient un poids. Il me revient à la mémoire le cas d'un distributeur d'articles ménagers qui, moins d'une semaine après son mariage, couchait avec une des demoiselles d'honneur de sa femme. De son propre aveu, son comportement était compulsif et répétitif. «J'étais incapable de m'arrêter», dit-il, ajoutant après coup cette phrase fort révélatrice: «Que voulez-vous, j'aime les femmes.»

Un des thérapeutes que j'ai interviewés a recours, pour expliquer la conduite de l'homme à femmes, à la «théorie de la vague». «Cet homme passe d'une relation à une autre comme s'il sautait de vague en vague. La nouveauté l'excite; c'est le sommet de la vague. Quand la vague s'éloigne, il saute à la suivante. De nouveau, c'est l'euphorie et la stimulation, d'où le phénomène de dépendance que crée ce comportement.»

Voici comment un psychiatre new-yorkais explique, lui, le comportement compulsif de l'homme à femmes: «L'homme qui cherche de façon constante à avoir des rapports sexuels avec différentes femmes exerce un mécanisme de défense; il combat ainsi son propre néant. Il est tout à fait conscient des risques que comporte une telle attitude, des valeurs morales qu'elle transgresse; il est conscient aussi des torts qu'il peut causer aux femmes, mais il ne changera pas, parce qu'il obéit à son instinct de conservation.»

C'est aussi un homme fort habile à justifier son comportement. «Il a le sentiment, poursuit le psychiatre, qu'il agit ainsi pour le plaisir et la satisfaction sexuelle que lui procurent ses conquêtes. Il vous dira qu'il aime vraiment les femmes, que le sexe est pour lui quelque chose de très important et que sa vie sexuelle à la maison n'a rien de très réjouissant. Il précisera peut-être aussi qu'il aime la compétition et qu'il exulte dans la victoire.» En entendant ces propos, ceux de Gérard, de Benoît et d'une foule d'autres hommes me revenaient à l'esprit.

«Ils n'arrivent pas à comprendre pourquoi ils se laissent aller à faire quelque chose d'aussi dangereux, précise le même psychiatre, alors ils se justifient en alléguant leur fascination pour les femmes ou leur énergie sexuelle débordante, ou même en faisant porter la faute à leur épouse. Dans les faits, ces hommes méprisent inconsciemment les femmes et les utilisent, mais leur attitude comporte aussi un aspect masochiste; dans certains cas, cet homme sera lui-même utilisé.»

La plupart des psychologues et des psychiatres considèrent aujourd'hui les hommes à femmes comme des drogués du sexe:

des hommes qui ne peuvent s'empêcher de multiplier les aventures, même quand leur comportement bouleverse leur vie familiale.

Selon le docteur Patrick Carnes, thérapeute familial et auteur de l'ouvrage *Out of the Shadows: Understanding Sexual Addiction*, de 3 à 6 p. 100 des Américains seraient des drogués du sexe. (Parmi ceux qu'on rencontre en thérapie, 80 p. 100 sont des hommes, mais le docteur Carnes croit que les femmes affligées de cette dépendance seraient plus nombreuses que ne le laissent croire ces statistiques.)

Les chercheurs concentrent depuis peu leur attention sur les épouses. Une modification du comportement de ces femmes jouera souvent, en effet, un rôle important dans la guérison de l'homme. L'épouse ou la compagne de l'homme à femmes est en général une personne très dépendante, qui accepte à peu près n'importe quel conjoint et qui se convainc ensuite qu'elle serait incapable de vivre sans cet homme. Elle a habituellement une peur terrible d'être abandonnée et fera n'importe quoi pour sauver sa relation, sans tenir compte de ses propres sentiments ni de ses besoins, trouvant mille excuses au comportement de son homme, évitant toute confrontation. Ironiquement, son attitude favorise l'infidélité de son conjoint. Par contre, si elle refusait de se résigner et provoquait délibérément l'affrontement, elle encouragerait son partenaire à chercher de l'aide, l'obligeant à prendre conscience de son état de dépendance et des douloureuses conséquences de ses actes.

De nos jours, on prescrit à la personne qui souffre d'une telle dépendance, ainsi qu'à son conjoint ou à sa conjointe, soit une psychothérapie, soit des séances de counseling matrimonial, soit une thérapie de groupe basée sur le modèle des Alcooliques anonymes. Paru récemment, l'ouvrage de Jennifer P. Schneider, intitulé *Back from Betrayal: Recovering from His Affairs*, expose en détail le syndrome de la dépendance sexuelle du point de vue des deux partenaires et énumère les différents types d'aide dont l'un et l'autre peuvent bénéficier.

CHAPITRE SIX

L'amant d'un soir, l'amant à long terme et le chasseur intermittent

L'homme à femmes est heureusement une espèce rare. Les hommes, en général, ont des aventures sans pour autant désirer les femmes de façon compulsive. Des hommes infidèles, il y en a de tous les types; toutefois, la plupart d'entre eux se classent dans l'une ou l'autre des catégories suivantes: l'amant d'un soir, l'amant à long terme et le chasseur intermittent. Que vous soyez mariés, que vous viviez en concubinage ou que vous soyez engagés dans une relation amoureuse sans attaches définies ne change rien à la chose; dans un cas comme dans l'autre, votre partenaire risque de succomber aux attraits de l'infidélité. Un des hommes que j'ai interviewés résume ainsi la situation: «Si vous croyez que le mariage en fera un homme fidèle, il vaudrait mieux vous enlever ça de la tête tout de suite.»

Il a raison. J'ai pu constater que les promesses du mariage n'ont aucun impact sur la fidélité. Dans ce chapitre, à travers les témoignages de nombreux hommes, nous tenterons de comprendre le comportement de ces trois types de conjoints infidèles.

L'amant d'un soir

L'amant d'un soir, en général, se déplace beaucoup pour son travail. En voyage, il recherche la compagnie des femmes jolies

ou disposées à offrir leurs services moyennant quelques con-
sommations, un repas ou, tout simplement, de l'argent. Cet
homme fréquente aussi parfois les prostituées ou les call-girls.
Mais l'avènement du sida a quelque peu diminué l'attrait de ce
genre de plaisirs.

Dans la catégorie «histoire d'un soir», on inclura également
«une p'tite vite» — comme disent les hommes — derrière les
portes closes d'un bureau, un après-midi à l'hôtel, une séance
de caresses lascives sur la banquette plastifiée d'un taxi.

Frank Donnelly, un psychothérapeute new-yorkais, résume
ainsi le comportement de l'amant d'un soir: «Fondamentalement, ce qui l'intéresse, c'est la baise. C'est un homme qui
n'établit pas de relation avec l'autre; on ne crée avec lui que des
liens physiques; il ne s'établit pas d'intimité entre lui et sa partenaire. Les aventures d'un soir satisfont les gens qui ont seulement besoin de se sentir près de quelqu'un; la relation sexuelle
répond à ce besoin pendant un certain temps. À la longue,
l'effet ne se fait plus sentir. De même qu'on ne saurait manger
tout le temps de la crème fouettée, après une certaine quantité,
la nausée s'installe. Mais il n'empêche que bientôt on en redemande.»

Selon un autre thérapeute, l'homme qui fréquente les prostituées ou qui, d'une façon ou d'une autre, paye pour faire
l'amour, le fait dans la plupart des cas pour se conformer à un
modèle culturel qu'il a profondément assimilé. «Il y a des
hommes qui payent pour faire l'amour, explique-t-il, et d'autres
qui jamais n'accepteront de le faire. Les modèles culturels ne
meurent pas facilement. Malgré la menace constante du sida,
certains hommes ont le sentiment que le seul moyen dont ils
disposent pour avoir des relations extraconjugales, c'est de
recourir à des professionnelles.»

«Autrefois, il n'y avait rien de mal à faire l'amour avec une
prostituée, raconte un homme de la Nouvelle-Orléans. Quand
j'ai eu quatorze ans, mon père m'a emmené au bordel et a
demandé à une des femmes de m'enseigner les choses du sexe.
C'était la procédure normale... Après mon mariage, j'ai continué
à rendre visite aux filles. Je le fais encore. Il a toujours été hors
de question pour moi d'avoir une maîtresse. Ma femme est
probablement au courant. Ici, parmi les gens du voisinage, tout
le monde connaît les allées et venues de chacun. Le sida n'a rien
changé à mes habitudes, excepté que, maintenant, je me

protège. Là où je vais, les filles sont reconnues pour être saines; on leur fait régulièrement passer des tests et l'usage des seringues ou de toute autre drogue est interdit. C'est pour cela que les prix sont si élevés.»

«Les gars y allaient, alors j'ai suivi», explique un autre homme à propos d'un bar de son quartier où on peut lever une fille pour quelques dollars ou pour quelques verres. «Nous nous rendions là comme nous allions jouer au baseball chaque semaine. Mais toute cette publicité à propos des maladies m'a foutu la trouille et j'ai cessé de coucher comme ça avec n'importe qui. Aujourd'hui, si une femme a envie de moi, je m'assure d'abord qu'il ne s'agit pas d'une prostituée, puis j'utilise deux préservatifs. Souvent, un des gars me dit qu'une fille avec qui il a couché a une amie; il me refile alors son numéro de téléphone en me disant que si jamais j'en ai envie, je peux l'appeler. À partir de là, il n'y a plus de problème.»

Un jeune professeur d'université actuellement engagé dans une relation qui dure depuis quatre ans m'a raconté ceci: «La fidélité, pour moi, c'est important, et je n'ai jamais trompé mon amie, sauf un soir. J'avais toujours éprouvé un certain attrait pour les prostituées. Le sida ne me fait pas peur; il suffit d'être prudent. Ce qui me gêne, c'est plutôt l'aspect politique de la question; je me sentirais plus à l'aise s'il existait aussi des bordels pour femmes... Toujours est-il qu'à cette époque, on m'avait accordé une bourse et je sillonnais l'ouest des États-Unis. Je n'avais pas baisé depuis plusieurs semaines et je suis allé voir une prostituée. Ce qui m'excitait, c'était l'idée de connaître un nouveau corps, de goûter à quelque chose de différent. La peau. Le mystère. Le fantasme du bordel. Tout cela, vous voyez? J'ai marchandé le prix. Nous nous sommes finalement mis d'accord. En fait, l'expérience a été désastreuse. J'étais très nerveux et j'ai éjaculé tout de suite. Mais j'ai quand même l'intention de recommencer.»

«En général, les hommes qui ont acquis un certain niveau d'instruction n'ont pas recours aux services des prostituées, soutient le docteur Anthony Pietropinto, psychiatre et co-auteur, avec Jacqueline Siminauer, de l'ouvrage intitulé *Beyond the Male Myth: What Women Want to Know About Men's Sexuality*. «Ils choisiront plutôt de se masturber. Pour bien des hommes, il serait impensable de payer pour faire l'amour. Soixante à soixante-quinze pour cent des hommes qui font partie de ce qu'on appelle la classe supérieure entrent probablement dans cette catégorie.»

Un homme fidèle à sa femme depuis dix-neuf ans — à l'exception d'un soir — m'a fait le récit suivant. «Ma femme et moi formons un couple très uni. Nous avons souvent abordé ensemble le sujet des relations extraconjugales et nous nous sommes promis réciproquement de ne jamais succomber à la tentation, si forte soit-elle, parce que notre mariage est trop important pour nous.

«Je voyage peu; les occasions de tricher sont donc rares. Mais, il y a quatre ans, j'ai failli à ma promesse. Je suis agent de change et j'ai un certain nombre de clients dans l'industrie du pétrole. À cette époque, j'avais fait moi-même de gros investissements dans ce produit. Un soir donc, j'étais au Texas, attablé avec des clients dans un restaurant où nous achevions un dîner bien arrosé, quand j'ai appris qu'une transaction à laquelle j'avais participé avait mal tourné. J'allais subir des pertes énormes. Tout de suite j'ai pensé aux études de ma fille que je devais payer la semaine suivante. Où allais-je trouver l'argent nécessaire? Je n'en avais aucune idée... J'étais très contrarié.

«De retour à mon hôtel, je suis allé au bar et j'ai avalé plusieurs scotches. Une belle grande femme, assise là elle aussi, se tourne alors vers moi et me dit: «On dirait que vous avez perdu votre meilleur ami.»

«Nous avons passé la nuit ensemble.

— En avez-vous parlé à votre femme? Étant donné les circonstances et les liens étroits qui vous unissent, elle pouvait sans doute comprendre.

— Je n'ai pas été capable de le lui avouer... Dire que cet incident me hante serait un euphémisme. J'ai brisé notre entente. Cette nuit-là, j'avais besoin d'être assommé et j'ai confié cette tâche à un être humain plutôt qu'à l'alcool — le sexe anesthésiant. Je n'aurais pas pu expliquer ça à Sophie. Si malgré tout j'arrive à vivre avec l'idée que j'ai rompu notre pacte, c'est que je sais que cela ne se reproduira pas. Mais la douleur est toujours présente parce qu'il y a quelque chose entre nous qu'elle ignorera toujours.»

Un autre homme, marié celui-là depuis dix ans, raconte:

«Au cours des dernières années, j'ai eu quelques aventures d'un soir et quelques amourettes d'après-midi. Je n'avais jamais pensé qu'un jour ma femme pourrait l'apprendre... Il y a environ six mois, j'étais à un congrès et j'ai eu une petite aventure. Ce soir-là, on avait fait les fous à l'hôtel et une femme qui représentait la branche japonaise de notre firme s'est endormie dans ma chambre. Quand elle s'est réveillée, j'étais encore soûl comme un cochon et les choses se sont enclenchées d'elle-même, si je puis dire. En fait, tout cet alcool n'aidait en rien et ma performance ne valait pas cher. Ce n'était rien d'autre que physique, une baise inoffensive avec une femme que jamais plus je ne reverrais. Toujours est-il que ma femme, je ne sais trop comment, l'a appris. Elle était furieuse; elle m'a même menacé de divorcer. Elle n'a pas encore décoléré, mais je suis certain que ça va passer. Il s'agit seulement qu'elle comprenne que ce n'était qu'une histoire de baise; rien de plus.»

Comme d'ailleurs la plupart des femmes, l'épouse de cet homme ne se fait pas à l'idée que l'amant d'un soir soit immunisé contre tout attachement affectif quand il fait l'amour. C'est pourtant ce que celui-ci affirme. Il est également convaincu que sa conduite restera toujours un secret pour sa femme ou pour son amie, parce que tout cela s'est passé en dehors de la maison, dans un lieu lointain et anonyme. Si, par contre, elle venait à l'apprendre on ne sait trop comment, il se dit qu'elle aura mal et qu'elle se fâchera, mais pas au point de vouloir rompre leur relation. Après tout, raisonne-t-il, *fondamentalement, je suis fidèle* ; une «p'tite vite», ça ne compte pas.

Ainsi, chez l'amant d'un soir, la culpabilité et l'angoisse reliées aux relations extraconjugales cèdent-elles rapidement la place, dans la plupart des cas, à un malaise pas très agréable, mais tout à fait tolérable. Certains hommes ne tenteront l'expérience qu'une ou deux fois au cours de leur relation, par ailleurs réussie; pour d'autres, ce sera une habitude. Mais qu'ils appartiennent à l'une ou l'autre catégorie, ces hommes, pour se justifier, allégueront généralement des «circonstances incontrôlables», sinon l'excuse classique: «Les choses se sont déroulées ainsi et je n'ai pas pu faire autrement.»

L'amant à long terme

Voici un homme fidèle... à deux femmes.

Le type extrême de l'amant à long terme, c'est le bigame: l'homme qui mène parallèlement deux vies de famille, avec maison, enfants, chien, chat, etc. Le type le plus commun, c'est l'homme déchiré entre l'amour de deux femmes avec qui il entretient une relation continue.

«Ma femme s'appelle Andrée; ma maîtresse, Janine», raconte un homme qui décrit avec une grande lucidité le problème de la «double fidélité». «Parfois je les appelle Jandrée; ce serait la femme parfaite pour moi. Je leur suis fidèle à toutes les deux, et je ne saurais renoncer ni à l'une ni à l'autre. Cette situation m'a torturé pendant près de sept ans. Avec toute l'énergie que j'ai mise à mener de front mes deux mariages, j'aurais pu devenir chef du gouvernement.»

L'amant à long terme (l'homme d'une seule maîtresse) n'est pas nécessairement malheureux avec sa femme; il dira même de celle-ci qu'elle est une femme extraordinaire et qu'il l'aime beaucoup, et il se fera un devoir de vous convaincre que sa relation avec elle est très satisfaisante. Mais si vous insistez un peu, il laissera échapper un classique «sauf en ce qui a trait à..» où, selon les cas, les trois points de suspension seront remplacés par tel ou tel besoin non satisfait auprès de la conjointe, les plus fréquemment mentionnés étant le sexe, l'intimité et le plaisir partagé. Mais cela mis à part, le mariage ou la relation, selon lui, le comble pleinement. Il a seulement besoin de plus.

«Vous pouvez me classer parmi les gars qui ont des besoins plus grands que les autres», reconnaît froidement un homme que j'ai interviewé à Los Angeles. «J'ai un gros appétit sexuel et de ce côté, ma maîtresse me donne ce dont j'ai besoin. Mais il me faut aussi la stabilité d'une vie familiale avec mes enfants que j'adore, et cela, c'est ma femme qui me l'apporte. Mon amie menace parfois de me laisser tomber si je ne quitte pas ma femme, mais ça ne dure jamais bien longtemps. Quant à ma femme, je suis certain qu'elle ne soupçonne rien.

— Comment sont vos rapports sexuels avec votre femme?

— Pendant les trois ou quatre premières années, c'était vraiment extraordinaire. À cette époque, j'étais tout ce qu'il y a de plus fidèle; je n'avais besoin de rien ni de personne d'autre. Ma femme était une merveilleuse amante qui aurait fait l'amour n'importe où, n'importe quand; elle n'en avait jamais assez. Les choses se sont calmées à la naissance de notre premier enfant; c'est bien normal. Je croyais que ce serait temporaire, mais quand notre deuxième fille est née un an et demi plus tard, nous en étions à une fois par semaine, le dimanche matin, quand les enfants étaient chez leurs grands-parents. C'est à ce moment-là que Sylvie est entrée en scène. Nous avions beaucoup de plaisir à faire l'amour, mais bientôt les choses ont pris une tournure sérieuse. Maintenant nous sommes ensemble depuis six ans et je ne pourrais pas la quitter.»

«*Plus*, encore *plus*», tel est le leitmotiv de l'amant à long terme. «J'ai besoin de plus», alléguera-t-il pour pouvoir se tourner vers une autre femme qui lui procurera encore plus d'intimité et des relations sexuelles plus gratifiantes.

Inversement, cette femme lui imposera *moins* de responsabilités, *moins* de routine et aura, à son endroit, *moins* d'attentes. «Elle attend moins de moi; c'est pourquoi je l'aime», explique un vendeur en parlant de sa maîtresse. «Elle n'exige rien. J'ai toujours eu l'impression que ma femme attend trop de moi. Je crois sincèrement que si mon mariage tient le coup, c'est parce que Gloria, mon amie, est là pour m'aider à supporter les responsabilités qui m'écrasent.»

La vie mouvementée de l'amant à long terme n'est pas dépourvue de situations cocasses. «Tous les hommes qui ont mené une double vie ont connu ce genre d'expériences», raconte un homme qui a mené de front sa vie familiale, une relation extraconjugale et un emploi exigeant d'éditeur de magazines. «Les repas, par exemple. Il m'est souvent arrivé de dîner deux fois. Quant aux vacances, quelle torture! Je suis allé jusqu'à m'enrôler dans un comité de bénévoles pour prétexter que j'avais à travailler auprès des sans-abri le jour de Noël. En fait, je me précipitais au bureau pour y prendre les cadeaux que j'y avais laissés; ensuite je filais chez Claudine, à l'autre bout de la ville. Nous buvions du champagne et nous partagions un dîner de gourmets. Puis je rentrais à la maison où m'attendait la dinde traditionnelle et j'inventais un tas d'histoires sur les sans-abri. Dieu que je me détestais dans ces moments-là! J'éprouvais un réel mépris envers moi-même. Moi qui n'ai jamais donné un sou aux pauvres! Mais j'ai tenu mon rôle pendant quatre ans, jusqu'à ce que Claudine me serve un ultimatum. Je n'ai pas pu quitter ma femme, alors Claudine m'a laissé tomber.»

Plongés jusqu'au cou dans la culpabilité, sans cesse anxieux, hyperstimulés émotionnellement, ces hommes dépensent une énergie folle à passer d'une vie à l'autre, d'une femme à l'autre, multipliant les mensonges, toujours en déséquilibre. Ce sont souvent la femme et les enfants qui servent d'alibi pour maintenir cet éprouvant statu quo. «Si je la quitte, elle ne s'en remettra jamais», ou encore «Je ne peux pas faire cela aux enfants»; voilà deux des plus fameuses répliques de l'amant à long terme.

Selon les thérapeutes, le comportement de l'amant à long terme serait dû dans bien des cas à des difficultés d'attachement. En s'attachant à deux femmes, paradoxalement, celui-ci ne se lie profondément, intimement à aucune des deux. Il garde l'une et l'autre à distance. Sans compter que pour arriver à préserver l'équilibre de son univers, il vit dans un tel état de frénésie qu'il n'a pas le temps de comprendre ce qui lui arrive, et cela fait bien son affaire.

Le chasseur intermittent

La majorité des hommes infidèles entrent dans la catégorie de ceux qu'on appelle les chasseurs intermittents. Entre celui qui s'en tient aux histoires d'un soir, qui lui procurent sous forme instantanée une sorte de pseudo-intimité, et l'amant à long terme, qui se garde résolument à distance et de sa femme et de sa maîtresse, le chasseur intermittent vit de courtes aventures où un certain engagement affectif s'ajoute à l'attrait sexuel.

Cet homme vous dira qu'il est «plutôt fidèle». Il pratique en effet une forme limitée et mitigée de fidélité. Quand vous le questionnez sur son comportement sexuel, il ponctue son discours de «*mais*...»: «*mais* quand je suis seul en voyage et que je m'ennuie...»; «*mais* parfois j'ai besoin de faire l'amour...»; «*mais* il est arrivé un soir qu'une splendide blonde m'a littéralement sauté dessus...» *mais* à part ces quelques exceptions, il est plutôt fidèle.

Brèves aventures, week-ends extraconjugaux, courtes histoires de sexe sont les principales activités du chasseur intermittent. S'il lui arrive parfois de se laisser aller un tant soit peu à des sentiments amoureux, c'est qu'il est convaincu qu'il pourra plier bagages avant que les choses ne deviennent trop sérieuses.

«Parfois je le fais parce que j'ai besoin de «tirer un coup», raconte un homme pour décrire ce type d'infidélité, parfois parce que j'ai besoin de me sentir important; parfois encore j'ai envie de baiser parce que je suis en colère. Je ne perds jamais de vue que mon mariage est ce qu'il y a de plus important et que ce que je fais est mal, mais cela ne m'arrête pas. J'ai une peur folle que ma femme ne l'apprenne et chaque fois je prends un soin maniaque à ne pas laisser de traces... Au fond, je suis un homme fidèle.»

Joël, à trente ans, est adjoint au vice-président d'une banque importante. Marié depuis trois ans, il a fait durant cette période deux «petites incartades». «Ma femme, cette semaine-là, assistait à un congrès, raconte-t-il. Un après-midi, au golf municipal, je fais la rencontre d'une femme avec qui je vais ensuite prendre un verre. Au cours de la conversation, je lui dis que ma femme est en dehors de la ville et elle me confie que son mari est en Angleterre. Nous avons terminé la journée au lit. Je l'ai revue plusieurs fois, mais j'ai bientôt senti qu'elle s'attachait à moi et j'ai mis fin à notre relation... La seconde fois, ma femme était encore en voyage d'affaires. Eh bien, vous me croirez ou non, je suis retourné au golf municipal et il s'est passé la même histoire avec une autre femme. Celle-là, je ne l'ai vue que deux fois.»

Amant d'un soir, chasseur intermittent, amant à long terme, chaque homme infidèle correspond plus ou moins à un de ces trois styles. Mais il n'est pas rare non plus que l'amant à long terme, par exemple, se laisse aller à une aventure d'un soir, ou que le chasseur intermittent se laisse prendre à une histoire d'amour.

J'ai eu recours à cette classification parce qu'elle me permettait de définir les principales caractéristiques de l'homme infidèle. Il va sans dire que lorsqu'on traite de fidélité, on est confronté à des zones de l'âme humaine où règnent le secret et la culpabilité. Il faudrait des dons de voyance ou de nombreuses années d'expérience professionnelle pour identifier avec précision à quel groupe tel ou tel homme infidèle correspond. Mais quoi qu'il en soit, il est tout de même bon de garder à l'esprit les traits caractéristiques de chacune de ces catégories.

L'amant d'un soir. Ses aventures sexuelles font souvent suite à des rencontres fortuites et ne l'engagent à rien. Il ne se sent pas du tout coupable parce que, croit-il, sa femme ne l'apprendra jamais. Pour se disculper, il se dit que ces aventures lui procurent un soulagement physique et ne sauraient nuire à ses rapports avec sa conjointe, puisqu'elles n'ont rien à voir avec les émotions. Ce qui l'intéresse avant tout, c'est la séduction; conquérir lui procure un plaisir inégalable et faire l'amour avec des inconnues confirme et renforce sa virilité.

L'amant à long terme. Il se sent tout le temps coupable, mais quel que soit son degré de contrition, il n'en poursuit pas moins ses activités extraconjugales. Honteux d'avoir à mentir, honteux de ses machinations, il se rachète en étant un mari et un amant particulièrement attentif. Quand il revient de chez sa maîtresse, il s'empresse de faire l'amour à sa femme — et vice versa —, pour se convaincre que l'une et l'autre relation sont encore bien vivantes. C'est un homme à fleurs et à cadeaux de toutes sortes qu'il offre souvent en double: un pour sa femme, un pour sa maîtresse.

Une commis qui travaille dans une boutique de cadeaux m'a raconté qu'une de ses clientes a découvert que son mari avait une maîtresse le jour où le magasin a livré chez elle un vase en argent accompagné d'une carte portant l'inscription: à Nora que j'aime. «C'est bien l'écriture de mon mari, dit cette femme au livreur, mais moi je m'appelle Élise.» Elle demanda à un avocat de faire enquête et découvrit que son mari achetait tout en double: pour elle et pour l'autre femme.

Le chasseur intermittent. Principale caractéristique: proie toute désignée pour les flèches de Cupidon. Comme je l'ai déjà mentionné, la plupart des hommes infidèles appartiennent à ce type. On ne trouve pas chez le chasseur intermittent l'aspect compulsif qui caractérise le comportement sexuel de l'amant d'un soir; ses rapports avec les femmes n'ont pas ce côté anonyme. Il ne vit pas non plus la double vie de l'amant à long terme. Il se laisse émouvoir, mais en croyant toujours qu'il a la situation bien en main et qu'il reste maître de ses sentiments. Or, c'est là qu'il se trompe et son attitude lui fait courir de graves dangers. Un jour ou l'autre, sa conjointe et lui auront à en subir les conséquences. Dans certains cas, toutefois, ils tireront une leçon de l'expérience et à partir de là, édifieront une nouvelle intimité sur des bases plus solides, comme l'illustrent certains témoignages dont je vous ferai part plus loin.

Un amant d'un soir à qui je demandais quel effet ses brèves aventures avaient eu sur son mariage me répondit: «À dire vrai, tout cela m'a amené à réfléchir. Il y a sûrement quelque chose qui ne va pas dans la relation qui nous unit, ma femme et moi. Je lui avais juré fidélité et je n'ai pas tenu ma promesse. Je ne comprends pas ce qui s'est passé, mais il y a quelque chose qui cloche, qui a changé. Pour moi, la situation n'est pas claire et je ne suis pas capable pour le moment de répondre à votre question.»

Cet homme a mis le doigt sur le vrai problème: il y a quelque chose qui cloche, quelque chose a changé. La plupart des hommes trompent leur femme parce que leur mariage ou leur relation ne les satisfait plus. Mais pour arriver à définir avec précision en quoi consiste ce quelque chose qui cloche, il nous manque encore un certain nombre de données.

CHAPITRE SEPT

Les occasions qui font le larron

La fin de la lune de miel

«Tu seras toujours mon seul amour.» Sur tous les tons, les chansons d'amour reprennent cette vision idyllique de la relation amoureuse que la plupart des hommes, d'ailleurs, partagent durant la période bénie des amours débutantes, dans l'ivresse de l'amour passion. Combien de temps dure cette période de fidélité et quels sont les facteurs qui amènent ensuite un homme à rompre le pacte? C'est à ces questions que nous tenterons de répondre dans les pages qui suivent.

Sauf quelques rares exceptions, tous les hommes, quand ils tombent amoureux pour la première fois, sont «naturellement» fidèles pendant un certain temps. Toute leur attention est centrée sur une seule femme et ils n'ont envie de personne d'autre. Sans doute ne pourront-ils s'empêcher, pendant un bref instant, de s'imaginer glissant voluptueusement entre des draps de satin en compagnie de la plantureuse blonde qu'ils ont reluquée au supermarché, mais — à moins qu'ils ne souffrent de problèmes sexuels — ils donneront rarement suite à leurs fantaisies durant cette étape de la relation.

Avant d'entreprendre la préparation de ce livre, me fiant aux témoignages recueillis au cours des ans auprès de nombreuses amies et à ceux des hommes que j'avais interviewés dans le cadre de mes précédentes recherches, j'en étais venue à la conclusion que cet intermède de fidélité durait en moyenne, chez la plupart des hommes, trois ou quatre ans. Je me trompais.

Cette étape est, dans certains cas, incroyablement brève. «Quatre jours après mon mariage, raconte un homme, je suis parti en voyage d'affaires et c'est là que ça s'est passé. J'ai fait l'amour dans une chambre d'hôtel avec une femme qui avait été ma maîtresse quelques années plus tôt. J'avais pourtant sincèrement l'intention de respecter les promesses du mariage. Il faut croire que je ne suis pas fait pour la fidélité.»

J'ai posé la question sans détour aux hommes que j'ai interviewés: «Pendant combien de temps êtes-vous resté fidèle?» Voici ce qu'ils ont répondu:

«Environ deux ans après mon mariage, raconte un de ces hommes, j'ai eu une aventure avec la meilleure amie de ma sœur. Elle cherchait du travail et je lui ai obtenu un emploi à temps partiel dans mon bureau.»

«Après un an et demi de vie commune, avoue un homme de trente-deux ans mécanicien dans un garage, j'ai passé un week-end en cachette avec une autre femme. Je vis toujours avec mon amie, mais cette fois-là j'ai contracté le virus et ces petites escapades sont devenues une habitude.»

Voici ce que me répondit un médecin d'une grande ville de l'Ouest:

«Mon amie m'avait dit: «Épouse-moi ou disparais de ma vue.» Alors nous nous sommes mariés malgré mes réticences. Mes copains m'ont rassuré en me disant que c'était normal de ressentir une certaine ambivalence devant une décision aussi importante. Je me suis dit qu'ils avaient sans doute raison. Mais environ un an après mon mariage, je suis devenu nerveux et irritable. J'avais perdu mes illusions. Ma femme n'était pas très portée sur la chose et il n'était pas question d'en parler. J'ai renoué avec une ancienne maîtresse. J'aurais dû avertir ma femme que j'étais attiré par les autres femmes; nous aurions pu consulter un thérapeute. Grâce à mes études médicales, j'avais une certaine formation en psychologie, mais à vingt-six ans, il ne m'est pas venu à l'idée de consulter un professionnel.»

«Deux ans presque jour pour jour après notre mariage, raconte un courtier immobilier, ma femme et moi avons eu une dispute terrible; notre première vraie bagarre. Je me souviens seulement que ses parents étaient en cause; j'ai oublié les détails. Dans les jours qui ont suivi, nous ne nous adressions même plus la parole. Une semaine plus tard, je faisais l'amour avec une cliente qui m'avait confié la vente de sa maison.»

Patrick F., malgré une «très forte libido», est resté fidèle à sa femme pendant six ans. «Après deux ans, dit-il, j'ai commencé à percevoir les autres femmes comme des partenaires sexuelles possibles. Malheureux, désabusé, j'évitais consciencieusement les situations où j'aurais pu succomber à la tentation. Entre ma compagne et moi, toute attirance sexuelle avait disparu, toute communication était rompue; on ne se touchait plus, on se parlait à peine. Un beau jour, j'ai cédé et j'ai fait l'amour avec une femme que j'avais rencontrée à mon travail.»

Ce ne sont là que cinq témoignages parmi des centaines, mais leur similitude est frappante. Ces cinq hommes, ainsi que la grande majorité des hommes infidèles que j'ai interviewés, fixent tous à peu près au même moment la fin de cette période où ils ont été «naturellement» fidèles. Nous tenterons un peu plus loin de comprendre pourquoi il en est ainsi.

Les facteurs favorables à l'infidélité

Ayant établi la durée de la lune de miel, je voulus savoir si certains facteurs, certaines circonstances favorisent le passage à l'infidélité. La réponse est oui. Fondamentalement, il existe deux facteurs qui favorisent l'infidélité: le style de vie et les situations à risque élevé.

Le style de vie

La probabilité qu'un homme rencontre un jour une femme dont il aura envie est plus grande, bien sûr, si son travail et son style de vie l'amènent à côtoyer beaucoup de monde. Cette vérité de La Palice, les psychologues l'ont prise au sérieux et l'ont baptisée: «l'effet du temps d'exposition».

Le principe fut illustré en 1973 par les psychologues S. Saegert, W. Swap et R. B. Zajonc, dans un article intitulé «Exposure, Context, and Interpersonal Attraction» paru dans *The Journal of Personality and Social Psychology*.

Ce que les chercheurs ont démontré, c'est qu'il est presque inévitable que soit créé un certain lien affectif entre deux personnes qui se côtoient pendant une assez longue période de temps. Ils ont découvert que le simple fait de vivre près de l'autre suffit pour déclencher la sympathie et parfois même l'amour. Cette proximité, toutefois, ne provoquerait pas l'attrait physique, mais une fois les liens affectifs bien établis, il est facile de passer à l'étape suivante, soit les rapports sexuels.

«Si vous fréquentez beaucoup de gens, que ce soit à votre travail ou dans le cadre de relations amicales, tôt ou tard ce qui doit arriver arrivera, admet cyniquement un avocat de cinquante ans. Si, au bureau, vous êtes entouré de femmes, il est pratiquement impossible que ces choses-là ne vous viennent pas à l'esprit.»

L'électricien qui travaille seul ou avec un assistant, dans une petite ville retirée, est moins exposé à la présence féminine qu'un homme qui gagne sa vie à vendre des cosmétiques dans une grande ville. De même, celui qui travaille à la maison, rivé à son ordinateur, ou l'architecte qui a installé son bureau dans son sous-sol et dont les seuls compagnons de travail sont des ouvriers de la construction, rencontrent moins de femmes qu'un rédacteur en chef d'un grand magazine, un producteur télé ou un avocat membre d'un bureau réputé.

Voici comment un homme fidèle, constamment exposé à la présence de belles femmes, succomba finalement à la tentation. «J'étais marié depuis quatre ans et parfaitement fidèle malgré la présence dans mon entourage de toutes ces femmes belles et intelligentes. À cette époque, je travaillais à la production d'une série télévisée. Or, il se trouvait parmi les figurantes une jeune femme qui avait participé au concours de Miss Univers. Scène un: nos regards se sont croisés et nous nous sommes souri. Scène deux: conversation. Sa voiture était en panne et je lui ai offert de la reconduire à son appartement. En cours de route, seule avec cette femme chaleureuse et sans complexes, la panique s'est emparée de moi. Mon Dieu, qu'allais-je faire? Je ne me doutais pas encore qu'elle me proposerait de coucher avec elle. Quand il est devenu évident que c'était cela qu'elle voulait, j'ai tout à coup pris conscience que si j'acceptais, je commettrais un adultère. Je lui ai dit que j'étais marié et j'ai arrêté la voiture. Elle m'a demandé si j'étais heureux. En fait, les choses n'allaient pas très bien, mais je ne le lui ai pas dit. Ma femme était retournée aux études et elle avait très peu de temps pour moi, sans compter qu'elle n'avait jamais envie de faire l'amour. Et voilà que je me trouvais en présence de cette femme magnifique, qui s'offrait à moi et ne demandait que cela. Elle avait envie de moi.

Moi aussi, j'avais envie d'elle, mais j'étais terrifié. Puis, tout à coup, j'ai décidé de plonger, et je l'ai fait.»

Il fit une pause.

«Qu'est-il arrivé ensuite? lui demandai-je.

— Je suis rentré à la maison et j'ai tout raconté à ma femme. Je tenais à ce qu'elle soit au courant; c'était ma façon de lui dire que notre relation ne me satisfaisait pas. Elle a fait une crise épouvantable. Elle était incapable de m'entendre... Plus tard, après notre séparation, elle m'a dit: «Tu sais, je n'ai pas compris, à ce moment-là, que tu tentais de sauver notre mariage.»

Il n'y a pas que le travail: un homme peut aussi être plus ou moins exposé, dans sa vie personnelle, à des rencontres amoureuses. «Ma femme et moi, raconte un autre homme, sommes engagés dans diverses activités communautaires. Nous assistons à de nombreuses soirées-bénéfice où je rencontre des tas de femmes qui meurent d'envie de faire l'amour. Elles sont seules à la maison avec les enfants; leur mari est ennuyeux ou souvent absent; alors elles viennent à moi. Si je ne participais pas à toutes ces activités sociales, je ne me douterais pas qu'il y a là, à ma portée, tant de femmes disponibles.»

Autre exemple du même type: un homme dirige, dans sa propre maison, une petite entreprise de services électroniques. Pendant la journée, il rencontre peu de femmes. «Mais le soir, dit-il, je vais souvent jouer aux quilles. J'observe les femmes, et elles aussi me regardent. Vous ne pouvez vous imaginer à quel point il est facile de tomber dans les bras de quelqu'un qui partage les mêmes intérêts que vous. Ma femme ne veut rien savoir des quilles. Pas une fois elle ne m'a accompagné, ne serait-ce que par curiosité. Je ne me suis pas mis à jouer aux quilles dans le but de rencontrer d'autres femmes, mais en fin de compte, c'est ça qui est arrivé.»

Les situations à risque élevé

Travail et loisirs, donc, favorisent parfois les rencontres. Mais il existe aussi des situations, appelons-les «à risque élevé», qui encouragent l'infidélité ou qui, à tout le moins, lui pavent la voie.

Voici, tirés de différents témoignages, quelques exemples de ces situations:

«Nous habitions la ville et mes beaux-parents vivaient à environ deux heures de route. Ma belle-mère était malade et ma femme allait souvent passer quelques jours, parfois même une semaine, auprès d'elle.»

«Mon épouse passait le plus clair de son temps à jouer au bridge ou à se promener dans les magasins avec ses amies. En son absence, notre voisine de palier venait faire son tour.»

«Une camarade de travail vient de perdre son amoureux; comme vous êtes son meilleur copain, elle compte sur votre soutien. Dans ces circonstances, il est tout à fait normal que vous la voyiez souvent...»

«Le ski est mon sport préféré et ma femme déteste le froid. J'avais donc pris l'habitude d'aller sans elle aux sports d'hiver.»

Tous ces témoignages proviennent d'hommes qui avaient opté pour la fidélité mais qui, finalement, ont trompé leur femme ou leur compagne. «Je ne sais vraiment pas comment j'en suis arrivé là, me raconte un homme. J'avais toujours cru que jamais je ne la tromperais. Tout ce que je peux vous dire, c'est que les circonstances ont rendu la chose inévitable.» Puis il ajoute: «Dites bien aux femmes que si elles ne s'intéressent pas à leur homme, si elles ne sont pas réellement présentes, une autre femme profitera facilement de la situation.»

S'il me fallait préciser quand, exactement, le terrain devient favorable à l'infidélité, je dirais que, dans un très grand nombre de cas, c'est au moment où le mari se met à prolonger sa journée de travail. «Chérie, je vais rentrer tard, ce soir.» Méfiez-vous de cette petite phrase. À entendre tant d'hommes me raconter leur histoire, j'en suis venue à prendre conscience que la plupart des infidélités ont pour origine les lieux de travail et à mieux comprendre alors les effets dévastateurs que peuvent engendrer les «histoires de bureau».

«Il existe des situations à risque élevé et d'autres à risque réduit», remarque un homme fidèle, agent de change à la Bourse. «Il est toujours préférable de ne pas traîner au bureau après les heures de travail. Plus l'heure avance, plus l'atmosphère se charge d'émotivité; les gens sont plus près les uns des autres, et le contexte plus favorable à l'intimité. Plutôt que de rester au bureau, j'emporte du travail à la maison. Les quelques fois où j'ai quitté après dix-huit heures, j'ai bien failli perdre mon statut de mari fidèle. Si votre engagement à rester fidèle à l'autre est le fruit d'une décision délibérée, il vous sera plus facile de résister à la tentation. Mais il faut tout de même prendre garde aux pièges et, selon moi, les hommes qui restent tard au bureau courent plus de risques d'y succomber.»

«Les hommes se leurrent en croyant qu'ils maîtrisent non seulement leurs propres sentiments mais aussi ceux de l'autre», reconnaît un homme qui, malgré de nombreuses aventures de «bureau», se croyait à l'abri de l'amour. «Quand c'est arrivé, je ne pouvais pas le croire. J'ai pris conscience tout à coup que j'aimais cette femme, mon assistante, plus que ma propre femme. En fait, aussi banal que cela puisse paraître, je me suis aperçu alors que je n'avais jamais, jusque-là, été vraiment amoureux.» Cette histoire, on me l'a racontée des dizaines de fois.

Le quotidien qu'on partage avec sa secrétaire, la «franche camaraderie» qu'on établit avec la copine du bureau d'à côté, le projet urgent sur lequel on travaille jour et nuit pendant une semaine avec une collègue, le voyage d'affaires qu'on fait en compagnie d'une associée, voilà des situations à taux de risque élevé qui engendrent la familiarité, laquelle, à son tour, incite à une plus grande intimité, affective et sexuelle.

À retenir. Premièrement: le moment crucial où un homme est le plus susceptible de commettre ses premières infidélités se situe entre dix-huit et vingt-quatre mois après le mariage ou le début de la relation. Deuxièmement: il existe, comme nous venons de le voir, une foule de situations, tant de la vie professionnelle que personnelle, qui favorisent l'infidélité. Mais il est encore un autre élément de l'équation dont il faut tenir compte: l'autre femme. Qu'est-ce au juste qui la rend si attrayante aux yeux d'un homme?

CHAPITRE HUIT

L'autre femme: mais qu'est-ce qu'il lui trouve?

On connaît le scénario: un homme rencontre une femme, il en tombe amoureux; dans certains cas, il ira même jusqu'à abandonner pour elle sa femme et ses enfants. J'ai interviewé un certain nombre de ces «autres femmes», et dans la plupart des cas, à mes yeux, elles n'avaient rien de bien spécial. Mais qu'est-ce qu'il lui trouve? étais-je alors amenée à me demander.

En fait, j'ai toujours été surprise de constater à quel point la plupart des «autres femmes» ne sont ni particulièrement belles, ni particulièrement sexy, quand elles ne sont pas totalement dépourvues de charme.

Que se passe-t-il exactement? Que disent-elles? Que font-elles? Qu'ont-elle donné à des hommes, qui jusque-là étaient entièrement dévoués à leur famille, pour qu'ils soient devenus aussi gaga?

Ce phénomène m'a toujours intriguée, comme il intrigue d'ailleurs la plupart des gens que je connais. J'ai donc posé la question à des spécialistes ainsi qu'à tous les hommes que j'ai interviewés: qu'est-ce que l'autre femme a tant à offrir pour qu'un homme tombe comme ça dans son lit?

Les réponses obtenues se classent en général en trois grandes catégories: magie, sexe et fuite des responsabilités — trois termes clés qui donnent accès à une meilleure compréhension de la dynamique même de la fidélité. Quand les hommes vous la décrivent, ils parent bien sûr «l'autre femme» de mille attraits. Mais, à les écouter, j'en suis venue à penser que ce qui les attire, ce n'est pas tant ce qu'ils voient en elle, c'est-à-dire ses qualités physiques, psychologiques ou morales, que ce qu'ils en *obtiennent*.

Mais écoutons tout d'abord ce que les hommes ont répondu à ma question. Ensuite, nous tenterons d'en déduire ce que, dans les faits, «l'autre femme» offre à un homme pour le pousser à rompre le pacte de fidélité.

«Elle a quelque chose de magique»

Sharon Stein, une célèbre avocate spécialisée en droit matrimonial, reçoit les confidences de nombreux hommes infidèles. «Selon moi, dit-elle, un homme peut tromper sa femme même si tout va bien dans son mariage, tout simplement parce qu'une autre femme exerce sur lui un attrait magique, romantique. Un de mes clients, un homme qui avait toujours été fidèle et heureux en ménage, s'est trouvé un jour dans mon bureau, à sa grande surprise et à son grand désarroi. Il voulait divorcer sur-le-champ pour épouser une autre femme.»

Avait-il expliqué ce qu'il avait trouvé chez l'autre femme qui le poussait ainsi à changer son comportement et à bouleverser sa vie?

«C'était un très bel homme, explique Mme Stein, fort charmant et réservé. Un homme qui plaît aux femmes. Il avait en effet admis que les femmes lui faisaient souvent des avances en lui laissant clairement savoir qu'elles avaient envie de lui. Denise, elle, n'avait rien fait pour le séduire, mais il la trouvait irrésistiblement attirante. Leurs chemins s'étaient croisés, tout simplement. Il ne cherchait pas l'aventure; tout allait bien dans son ménage. Elle aussi était mariée et sa vie la satisfaisait pleinement. Selon moi, ils n'y pouvaient rien, ni l'un ni l'autre. Devant elle, il était sans défense, bien qu'elle n'eût posé aucun geste pour lui plaire.»

Me Stein fait remarquer que cet inexplicable ensorcellement qui bouleverse totalement la vie de deux personnes et les entraîne à divorcer est *extrêmement rare*. Bien des hommes demandent le divorce en alléguant qu'ils sont «irrésistiblement attirés» par une autre femme, mais dans la plupart des cas, précise Me Stein, le motif avoué dissimule un problème profond et non exprimé entre mari et femme. «Il peut bien déclarer qu'il a été envoûté, dit-elle, mais au cours de la procédure de divorce, on découvrira que les rapports conjugaux n'étaient plus très harmonieux et que l'arrivée de l'autre femme était la solution tout indiquée à ses problèmes.»

Une femme qui était au courant de mes recherches m'a suggéré de rencontrer un homme qui, disait-elle, avait vécu une expérience similaire à celle décrite par Sharon Stein. Cet homme flottait, depuis l'été précédent, sur une sorte de nuage magique. Père de trois enfants en bas âge, il vivait un très douloureux divorce. Tout comme le client de Me Stein, Jonathan L. avait toujours été fidèle à sa femme, jusqu'à ce qu'il rencontre Élisabeth.

On m'avait prévenue que Jonathan était un homme très secret et, étant donné les difficultés auxquelles il avait à faire face, je fus fort étonnée qu'il acceptât mon invitation.

«À trente-sept ans, dit-il, j'avais la conviction que mon mariage était parfaitement réussi, que j'avais construit pour Chantal, les trois enfants et moi une vie de rêve. Nous avions une magnifique villa, loin de toute civilisation, où nous passions ensemble des moments merveilleux. Nous prenions des vacances et nous avions de bons amis. J'étais parfois stressé par mon travail, mais l'avenir, somme toute, s'annonçait prometteur. Il m'arrivait à l'occasion d'éprouver du désir pour d'autres femmes, mais je n'étais jamais passé aux actes. Aucune autre femme, pensais-je alors, ne pourrait jamais entrer dans cette vie que j'avais si soigneusement édifiée.

— Que s'est-il passé alors pour que tout à coup vous demandiez le divorce?

— Il y a environ neuf mois, je sortais d'un restaurant où j'avais dîné avec un collègue. Je n'étais pas soûl, mais j'avais tout de même bu un peu plus de vin que de coutume. Pendant qu'on allait chercher ma voiture, je me suis trouvé face à la plus belle femme que j'aie jamais vue. Je l'ai regardée et malgré moi, j'ai laissé échapper un sifflement admiratif. C'était comme si un sort m'avait été jeté. Elle m'a souri et nous sommes montés chacun dans notre voiture. Je l'ai suivie et au feu rouge, je me suis rangé à côté d'elle. Je lui ai crié quelque chose comme: «Je pense que j'ai un peu trop bu mais j'ai envie de vous parler.» «Je le pense aussi», m'a-t-elle répondu. Mais elle a tout de même accepté de dîner avec moi deux jours plus tard.

«J'ai tout de suite senti qu'il m'arrivait quelque chose de terrible et de magnifique à la fois. Les deux sentiments alternaient en moi. Pour la première fois de ma vie, j'ai paniqué. Je lui ai téléphoné. Je lui ai dit: «J'ai agi en idiot, n'est-ce pas?» Elle m'a répondu oui. Mais nous n'avons pas annulé le rendez-vous. Depuis ce jour-là, nous sommes devenus inséparables. Deux mois après avoir rencontré Élizabeth, j'ai décidé de divorcer.»

Je lui demandai s'il pouvait me décrire ce qu'il y avait de magique chez Élisabeth. Or, pendant qu'il me parlait d'elle et de sa femme, je constatai que son mariage n'avait peut-être pas été aussi idyllique qu'il voulait bien le croire.

Quand j'abordai l'aspect sexuel de ses rapports avec sa femme, je sentis tout de suite chez lui un certain malaise. Je lui dis que j'avais parlé de ce sujet avec bien des gens et que j'avais été surprise de découvrir qu'un grand nombre d'hommes et de femmes mariés, ou vivant ensemble, avaient *très peu, sinon pas du tout de rapports sexuels pendant des mois, parfois même pendant des années.* À ces mots, son visage exprima à la fois la surprise et le soulagement.

Lui aussi, me dit-il, avait vécu la même expérience. Sa femme et lui n'avaient pas fait l'amour une seule fois au cours des trois dernières années de leur mariage.

«Comment réagissiez-vous à cela? lui demandai-je.

— Vu de l'extérieur, notre ménage paraissait tout à fait heureux. Mais au-delà des apparences, les tensions étaient nombreuses. Je savais bien que ce n'était pas normal de ne pas faire l'amour, mais je ne voulais pas en discuter, et encore moins admettre que nous avions un problème. Alors j'ai fait comme s'il n'y avait rien d'anormal et je me suis concentré sur les enfants et sur mon travail, dont je retirais énormément de satisfactions. Ma femme est une vraie beauté, mais côté sexe, elle ne prend pas beaucoup d'initiatives. Moi, au lit, je ne suis pas très sûr de moi; bien des gens seraient surpris d'entendre ça car, en affaires, je suis un vrai lion. Le problème, c'est que j'aurais aimé que ma femme fasse plus souvent les premiers pas. Mais je ne pouvais pas le lui dire. Pour moi, le sexe, c'est une détente, un plaisir; elle, elle ne voit pas les choses de la même façon. Aujourd'hui, quand je repense à ces trois années, je m'aperçois que j'avais mis de côté une des choses les plus importantes pour moi.

— Pourquoi était-ce si difficile de demander à votre femme de prendre quelques initiatives?

— Je ne sais pas. Je me disais qu'elle aurait dû savoir ce dont j'avais envie, sans que j'aie à le lui dire.

— Si j'ai bien compris, alors, dis-je doucement, le pouvoir d'Élisabeth n'était pas si mystérieux. Votre mariage était en panne et cette femme répondait à vos besoins sexuels...

— Si vous voulez, oui. Auprès d'elle, j'ai trouvé les relations sexuelles qui me conviennent. Au lit, elle est très sûre d'elle, ce qui change tout pour moi car, comme je vous l'ai dit, je suis plutôt passif. Avec elle, je suis content de moi.»

Après cette entrevue, je rencontrai un psychothérapeute qui avait lui-même été littéralement magnétisé par une femme: «La rencontre d'une femme qui répond à nos attentes sexuelles peut, du jour au lendemain, complètement bouleverser notre vie. Dans certains cas, la fascination est telle que l'on ne pense pas au tort que l'on cause ainsi à sa femme. Appelez cela de la magie si vous voulez, il n'empêche que, dans 99 p. 100 des cas, ce fantastique cataclysme sexuel va faire resurgir tous les problèmes cachés de la relation.

«C'est ce qui est arrivé dans mon cas... Jusqu'à ce que je rencontre Bettina. J'étais un homme fidèle et, du moins le croyais-je, heureux. Cette femme a eu sur moi un effet envoû- tant. En sa présence, je me sentais totalement démuni. Je savais que ce genre de choses n'arrive habituellement que dans les romans, alors je me suis mis à chercher ce qui, dans ma vie et dans mon mariage, pourrait expliquer une telle attirance. J'ai découvert, en fouillant en profondeur, qu'entre ma femme et moi il y avait des questions qui n'avaient pas été résolues; ces questions avaient trait à la sexualité, à la confiance et à l'intimité conjugale. Nous nous sommes mis d'accord pour tenter de résoudre ces problèmes, et de cette façon, notre mariage a échappé au désastre et s'est même trouvé enrichi.»

Beaucoup d'hommes m'affirmèrent avoir été attirés dans le lit de «l'autre femme» par une sorte de pouvoir magique, irré- sistible. Toutefois, après qu'ils m'eurent raconté tous les détails de l'histoire, il me parut évident que la magie n'avait rien à voir dans tout cela. La belle fée n'avait jeté aucun sort, elle s'était contentée de répondre à un souhait qui, jusque-là, n'avait pas été exaucé.

«Une histoire de sexe, rien de plus»

Nombreux sont aussi ceux qui disent coucher avec d'autres femmes uniquement «pour la baise», «pour soulager une tension sexuelle», «pour échapper à la routine». Ceux-là, quand je leur pose la question: «Qu'est-ce qui vous attire tant chez elle?» me répondent: «Le sexe.»

Le témoignage qui suit commence par une phrase que j'ai entendue à maintes reprises: «Ma femme et moi avions peu de rapports sexuels. Avec Joanne, c'était une histoire de sexe, rien de plus.»

Cet homme me raconta ensuite la scène suivante: «Joanne me répétait sans cesse qu'elle adorait faire l'amour avec moi... Elle connaissait ma prédilection pour les roses. Un soir, au cinéma, je glisse ma main dans son slip et comme je me penche pour l'embrasser, je sens une odeur de rose: elle avait caché des pétales de roses entre ses jambes. Je l'aurais baisée matin, midi et soir.

— C'est cela que vous appelez «une simple histoire de sexe»?

— En tout cas, ça change de la routine.

— N'était-ce pas plutôt qu'elle avait une façon bien particulière de vous exciter, comme elle l'a fait avec les roses, par exemple?»

Je lui souris.

«Vous avez dit, poursuivis-je, qu'elle vous répétait sans cesse qu'elle avait envie de vous. Est-ce que cela n'était pas un bon moyen de vous exciter?

— Oui. Avec elle, *je me sentais désiré*. Ma femme ne s'intéressait pas tellement *à moi, ni au sexe; d'ailleurs, les deux phénomènes étaient probablement interdépendants.*» (C'est moi qui souligne.)

Quand un homme affirme que tout ce que l'autre femme lui apporte, c'est un soulagement à sa frustration, qu'entre elle et lui, tout se résume à une simple histoire de sexe, il suffit, dans la plupart des cas, de gratter un peu la surface pour qu'il apparaisse clairement que l'aspect physique n'est pas le seul en cause.

Pour un homme, qu'une femme veuille coucher avec lui, qu'elle *accepte* de faire l'amour avec lui, qu'elle se rende *disponible* à lui, cela veut dire qu'il peut plaire, qu'il a quelque chose à offrir, qu'il détient sur une femme un certain pouvoir et qu'il peut être rassuré, pour le moment du moins, quant à sa virilité. Même s'il ne sait pas son nom et ne doit jamais la revoir, «l'autre femme» lui procure un stimulant dont il regretterait amèrement de ne pas avoir profité.

«Elle est mon soleil»

«À la maison, c'est la foire, raconte un ouvrier de la construction. Ma femme, les enfants, la télé, le téléphone: on ne s'entend plus penser. Rose, c'était mon refuge. Auprès d'elle, j'ai trouvé le calme.»

«Ce qu'il y a de bien dans une aventure, explique un autre homme, c'est que vous n'avez plus à affronter les vrais problèmes de la vie. Brigitte a tout gâché quand elle a commencé à se plaindre et à rouspéter. Du coup, c'était comme à la maison. Tant qu'elle a joué son rôle de maîtresse, tout a bien été...»

«J'en avais par-dessus la tête, se souvient un autre homme. Je me suis mis à courir les filles et j'ai eu quelques brèves aventures, histoire d'oublier mes problèmes. Les factures à payer, l'hypothèque à rembourser: j'avais trouvé le moyen d'échapper à tout ça pendant une heure ou deux. Ma femme n'a rien contre la baise, mais nous étions tous les deux trop pris par nos occupations pour trouver le temps de faire l'amour. Alors j'ai fait l'école buissonnière, question de me détendre, d'échapper au stress. Pour répondre à votre question, eh bien, ce que Justine m'apportait, c'était un exutoire, une soupape de sûreté.»

D'autres hommes m'ont répété la même chose: «l'autre femme» permet de fuir les vrais problèmes, elle chasse l'ennui, fait fondre les anxiétés. Plus important encore, elle représente la liberté et l'occasion de fuir les responsabilités: avec elle, le fardeau de la vie semble moins lourd, la tension diminue et le calme revient.

Le mystérieux cadeau

Bien que l'autre femme, aux yeux de l'homme qu'elle a séduit, se pare de maints attraits tous aussi irrésistibles les uns que les autres, son atout le plus puissant demeure le «mystérieux cadeau» qu'elle apporte à un homme. En d'autres mots, comme je l'ai déjà mentionné, ce qu'il voit en elle, c'est d'abord ce qu'il en obtient.

L'histoire d'André C. illustre bien ce que j'entends par ce «mystérieux cadeau».

André avait eu de nombreuses aventures au cours de son mariage. «J'ai beaucoup bamboché; j'avais soif de plaisirs, de nouveauté, de sexe. Mais je suis catholique et il n'était pas question d'abandonner ma femme.»

C'est pourtant ce qu'il fit après avoir rencontré une autre femme qui, sexuellement, lui apportait moins que Sylvie.

«Sandra m'a plu dès que je l'ai vue, raconte André. Nous avons fait l'amour, mais il n'y a pas eu de feu d'artifice; nous étions bien, c'est tout. Je l'ai revue et j'ai vite compris que c'était plus qu'une amourette. Elle me comprenait et savait me donner confiance en moi.»

L'homme qui parle ainsi est pourtant l'image même de la confiance en soi. André C. est un homme d'un grand charisme — peut-être le plus séduisant de tous ceux que j'ai interviewés. Il a le plus beau des sourires; il ne se prend pas au sérieux pour deux sous; il a toujours le mot pour rire; il est en parfaite forme physique et paraît, en toute circonstance, sûr de lui. Partenaire dans une prestigieuse firme de relations publiques, il négocie avec aisance d'importants contrats. Comme je pus moi-même le constater, lors de réunions auxquelles j'assistai, c'est un homme d'affaires ferme, intransigeant et respecté. Il m'était apparu comme un homme conscient de sa propre valeur et doté d'un très solide ego.

«De quelle façon au juste vous donnait-elle confiance en vous-même?» demandai-je.

— Cela se manifestait en particulier au travail. Un jour, par exemple, où j'avais à faire une importante présentation et où je me sentais nerveux...

— Mais, dis-je, incrédule, je vous ai souvent vu à l'œuvre, parfois dans des conditions très difficiles, et vous m'avez toujours paru très sûr de vous. Votre attitude, d'ailleurs, se reflétait sur l'ensemble du personnel; tout le monde en était conscient.

— C'est l'image que je donnais.»

Il eut un sourire désarmant.

«Mais derrière cette façade, enchaîna-t-il, je tremblais comme une feuille. J'avais toujours l'impression que les choses allaient mal tourner, que non seulement nous allions perdre le contrat, mais qu'en plus j'allais faire me rendre ridicule. Je viens d'un milieu populaire et j'ai dû me battre pour en arriver où je suis. Parfois la frousse m'envahit et j'ai alors le sentiment d'être un imposteur. Ce soir-là, donc, à la veille d'une importante présentation, Sandra et moi étions allés dîner dans un restaurant tout ce qu'il y a de plus romantique. Je me mis alors à lui raconter les problèmes que j'avais au bureau. Soudain, elle m'interrompit: «C'est très bien ici, dit-elle, mais laissons tomber le dîner. Allons plutôt chez moi revoir ce que tu vas dire demain à ce client.» Elle m'a aidé à retravailler ma présentation et elle le fait encore chaque fois que j'ai une affaire importante à régler. Ma femme était très peu au courant de ce que je vivais au bureau. Au début, elle me posait des questions, puis elle a très vite cessé de le faire. Sandra, au contraire, s'est tout de suite intéressée à mon travail et m'a fait sentir que j'étais à la hauteur. Auprès d'elle, j'avais confiance en moi.»

Hubert N., professeur d'université, a été lui aussi séduit par ce «mystérieux cadeau». Il raconte ici comment il est tombé amoureux d'une autre femme après sept ans d'aventures diverses.

«Ma femme est une personne très intelligente qui s'exprime avec facilité, mais elle ne m'a jamais fait de compliments à propos de mon apparence; jamais elle ne me faisait part de ses impressions. Elle ne commentait jamais non plus nos rapports sexuels... Je me suis tout de suite senti attiré par cette autre femme. «Vous avez des yeux magnifiques.» C'est la première chose qu'elle m'a dite. Cela peut vous paraître superficiel et sans importance, mais c'est exactement ce que j'avais besoin d'entendre. J'avais besoin de cette reconnaissance que ma femme ne m'avait jamais donnée.»

Alors, qu'est-ce exactement qui fait tomber un homme dans le lit d'une autre femme? Certains disent qu'on leur a jeté un sort, d'autres que c'est une question de sexe, d'autres enfin qu'ils échappent ainsi à la réalité.

Finalement, c'est auprès de Sharon Stein, cette avocate spécialisée dans les causes de divorce, que j'ai trouvé la meilleure réponse.

«En général, l'autre femme sait comment s'y prendre pour rassurer un homme et renforcer son ego. Elle a compris que le mâle a besoin qu'on le flatte et c'est ce qu'elle fait. Avec elle, il se sent important, séduisant, indispensable. C'est le phénomène Marilyn Monroe. Marilyn utilisait le sexe pour renforcer l'ego d'un homme. Il y a d'autres façons d'arriver au même résultat, mais c'est encore le meilleur moyen pour amener un homme à se sentir important, spécial.»

La plupart des femmes que leur mari ont quittées, souligne Me Stein, avaient peu d'égard envers leur mari. «Les femmes, dit-elle, n'ont pas la vie facile, elles subissent toutes sortes de stress et d'inquiétudes. Mais les hommes aussi, de nos jours, subissent des tensions énormes. Quand on s'épuise à gravir les échelons de la société ou à rester à la tête du peloton, on a besoin de quelqu'un qui nous dise: «Tu vas y arriver. T'es capable. Vas-y!» et qui nous fasse sentir que ce qu'on a, on l'a bien mérité. Les hommes, conclut l'avocate, vont vers d'autres femmes pour rehausser l'estime qu'ils ont d'eux-mêmes.

— N'est-ce pas là une autre façon de décrire le mystérieux cadeau dont je vous parlais tout à l'heure? lui demandai-je.

— Le cadeau qu'il reçoit de l'autre femme, c'est la confiance en soi, l'estime de soi, dont les femmes, en général, semblent avoir oublié l'importance. Ce que l'homme trouve — et cherche — dans l'autre femme, c'est le renforcement de sa propre image, l'assurance qu'il est indispensable.»

CHAPITRE NEUF

Le petit garçon, l'adolescent et l'adulte

Quelles conclusions tirer des précédents chapitres, qui résument les témoignages que j'ai recueillis au cours des deux dernières années? Premièrement, pourquoi les hommes sont-ils infidèles? Si je me reporte à ce qu'ils m'ont dit en entrevue, ils sont infidèles parce qu'ils traversent des difficultés dans leur relation avec leur conjointe; parce que, sexuellement, ils n'ont pas ce qu'il leur faut à la maison; parce qu'une brève aventure ou une relation extraconjugale leur permet d'échapper aux problèmes et aux responsabilités de la vie quotidienne. Certains hommes nous ont aussi confié qu'ils avaient sans cesse besoin qu'on leur redonne confiance en eux; d'autres se sont plaints que leur femme les tenaient pour acquis; d'autres enfin ont reconnu que «l'autre femme» était ce qu'il y avait de mieux pour renforcer leur ego.

Ce que ces hommes ont dit, les spécialistes l'ont confirmé. Parmi les nombreuses recherches traitant du phénomène de l'infidélité, certaines ont tenté en particulier de comprendre ce qui pousse un homme à faire l'amour avec une autre femme. Ces études révèlent que les motifs les plus souvent évoqués par les hommes sont:

- la curiosité;
- le besoin de changement;
- la frustration sexuelle;
- l'ennui;
- le besoin d'être aimé et apprécié.

Les psychiatres, psychologues et autres spécialistes que j'ai moi-même interviewés arrivent en général aux mêmes conclusions. «L'insatisfaction sexuelle à l'intérieur du couple et l'attrait d'un plaisir qu'on ne trouve pas à la maison», c'est ainsi qu'un conseiller matrimonial formule, à partir des témoignages de ses clients, les deux principaux facteurs de l'infidélité. Un autre thérapeute conclut: «Si un homme a une aventure, c'est qu'il tente d'échapper aux responsabilités d'un mariage en difficulté.»

Si, ensuite, on essaie de faire ressortir les constantes qui se dégagent des témoignages des hommes fidèles, on voit apparaître un tout autre tableau. *Ma femme (mon amie) me comprend; nos rapports sexuels sont satisfaisants; c'est une personne qui m'intéresse; avec elle, je me sens bien; avec elle, je me sens quelqu'un.* Voilà, en substance, ce que m'ont répété tous les hommes fidèles.

Maintenant que nous en savons un peu plus sur les causes profondes de l'infidélité et de la fidélité, nous tenterons dans ce qui suit de nous familiariser avec les besoins fondamentaux de l'ego masculin et féminin. Ce sont ces besoins qui sont à la base de la dynamique psychosexuelle de toute relation intime entre un homme et une femme.

Ainsi que je l'ai mentionné au début de ce livre, l'ego masculin est très différent de l'ego féminin — hommes et femmes n'ont pas les mêmes besoins. Une fois cette différence bien établie, vous découvrirez un principe étonnamment simple: la satisfaction de l'ego — masculin et féminin. Or, c'est en nourrissant cet insatiable ego que vous construirez les fondations d'une relation riche de sens, basée sur la fidélité.

C'est le docteur John Baer Train qui, le premier, utilisa l'image de «l'insatiable ego». Le docteur Train ressemble, barbiche en moins, à Sigmund Freud, dont le portrait est d'ailleurs accroché au mur derrière son bureau. Sur l'autre mur, derrière le fauteuil où s'installe le patient (je n'ai pas vu de divan), à la hauteur exacte où se fixe le regard du psychiatre, on aperçoit une peinture représentant Moïse. Ex-président de l'American Society of Psychoanalytic Physicians, analyste depuis plus de quarante ans et fort respecté dans son milieu, John Baer Train est un homme imposant et racé aux cheveux argentés.

À notre première rencontre, après que je me sois présentée, il me serra la main avec chaleur et m'invita à m'installer confortablement, m'indiquant un fauteuil placé à côté de sa table de travail.

«Alors, dit-il avec un sourire, vous croyez vraiment qu'un homme peut être fidèle?

— Pas vous? rétorquai-je.

— Oui. À condition qu'on comprenne bien la dynamique psychosexuelle du couple.

— Ce qui exige certainement plusieurs années d'études universitaires, dis-je en souriant.

— Pas du tout. Le principe, en fait, est plutôt simple. Me permettez-vous, avant d'attaquer le vif du sujet, de vous faire un très bref exposé?

— Bien sûr.

— Le mariage est une institution (bien que nous n'aimions pas penser que nous vivons à l'intérieur d'une institution). En nous unissant à l'autre, il nous permet de déborder du cadre de notre propre vie. Nous attendons du mariage qu'il nous apporte tout ce que nous attendons de la vie depuis notre enfance jusqu'à l'âge adulte, en passant par l'adolescence. Si nous avons bien compris cela, nous serons à même de comprendre nos propres besoins ainsi que ceux de notre partenaire. L'homme et la femme ont tout à gagner du mariage; mais si l'on veut un mariage solide et bien structuré, la fidélité est l'un des éléments essentiels.

— Et comment cette fidélité est-elle possible?

— Chacun des conjoints doit accorder autant d'importance aux besoins de l'autre qu'il en accorde aux siens.

— C'est ça, la règle d'or?

— Oui, du moins quant aux besoins psychosexuels. Pour être capable de répondre à ces besoins fondamentaux, une femme doit prendre conscience que son rôle à l'intérieur de l'institution du mariage consiste, pour une part, à nourrir l'ego de son mari.

«Une femme doit accepter que son conjoint est à la fois un petit garçon, un adolescent et un adulte. Le petit garçon a besoin de savoir qu'elle l'aime et qu'elle prend soin de lui. L'adolescent a besoin de savoir que, sexuellement, il répond à toutes ses attentes. L'homme, enfin, a besoin de savoir qu'elle est fière de lui, qu'elle l'approuve dans tout ce qu'il fait. C'est dans ce continuel rapport nourricier que réside l'essence même du mariage. Si nous restons ensemble, c'est que nous nourrissons mutuellement notre ego. On pourrait dresser une longue liste des gestes quotidiens dans lesquels se concrétise cet échange, mais je ne crois pas que cela soit nécessaire. Il suffit que vous compreniez la dynamique fondamentale; votre bon sens vous dira ensuite comment répondre à ces besoins.

«Quand deux personnes s'aiment, poursuit le docteur Train, elles laissent tomber les barrières qui protègent l'ego et, du coup, elles sont vulnérables et peuvent se blesser. Vous comprendrez maintenant pourquoi on dit que deux partenaires qui ne se disputent jamais ne s'aiment pas; c'est qu'ils n'ont pas laissé tomber ces barrières. Par contre, il faut éviter que ces querelles aient des effets dévastateurs et qu'elles ébranlent l'ego de l'un ou de l'autre partenaire. Un homme dont l'ego a été ébranlé se tournera facilement vers une autre femme à qui il aura beau jeu de dire que sa femme ne le comprend pas. Et le voilà infidèle.

— Vous voulez dire qu'il suffit de nourrir son ego à lui?

— Non; l'homme aussi doit comprendre que la femme a besoin qu'on renforce et qu'on nourrisse son ego.

— Mais c'est elle qui doit donner la première?

— Voici comment je résumerais la situation. On a dit que l'homme affirme sa masculinité d'abord par le sexe, tandis que la femme exprime sa féminité d'abord par son besoin d'être aimée. Que cela nous convienne ou non, il n'en demeure pas moins que c'est ce que démontrent la plupart des recherches. Oui, une femme qui veut être aimée, qui veut qu'on lui soit fidèle, sera habituellement prête à enclencher, puis à maintenir le processus de renforcement de l'ego.

— Permettez que je vous interrompe. Je voudrais m'assurer que je vous ai bien compris. D'abord, pour diminuer les risques d'infidélité, il faut bien connaître la dynamique psychosexuelle qui s'établit entre un homme et une femme. Jusqu'ici, ça va?

— Ça va, approuva en souriant le docteur Train.

— Or, cette dynamique psychosexuelle repose sur un principe très simple: l'ego a des besoins. Il faut en prendre soin. Si l'ego a faim, s'il n'a pas été nourri, l'homme ira fort probablement chercher satisfaction ailleurs. C'est bien ça?

— C'est exactement cela. Mais regardons plutôt les choses sous leur aspect positif: si on prend soin de l'ego, si on le nourrit, on favorise la fidélité.»

Les explications du docteur Train quant à la théorie de «l'insatiable ego» cadraient avec l'ensemble de ma recherche.

Tous les témoignages des nombreux hommes que j'avais rencontrés pouvaient être interprétés selon cette hypothèse. Le fameux dicton: «C'est par le ventre qu'on rejoint le cœur d'un homme» se révélait tout à coup d'une profonde éloquence.

Pendant cette conversation avec le docteur Train, il me revint en mémoire deux entrevues, la première avec un dirigeant d'entreprise, la second avec un homme de San Antonio, au Texas. Tous deux étaient des maris fidèles et m'avaient expliqué pourquoi.

«Ma femme m'adore, avait dit l'homme d'affaires, elle répond à tous mes besoins et c'est pour cela que je l'aime. Il y a quinze ans, quand elle est tombée amoureuse de moi, j'étais un mince et beau jeune homme. Aujourd'hui, elle me trouve encore séduisant. Ça commence par le sexe et, ensuite, tout s'enchaîne, si la femme sait comment s'y prendre. Et je vous assure que ma femme sait comment s'y prendre: une vraie courtisane. Jamais de menaces, jamais d'intimidations. Elle m'apporte ce dont j'ai besoin pour être vraiment moi-même. Au cours des deux derniers millénaires, les femmes ont été une force civilisatrice et voilà, tout à coup, que ce magnifique rôle féminin qu'elles ont toujours joué à la grande satisfaction des hommes est aujourd'hui condamné. Ce rôle magnifique, c'est de prendre soin de son mari. C'est ce que fait ma femme et c'est la raison pour laquelle je suis fidèle, parfaitement fidèle depuis vingt ans.»

Dans la seconde entrevue qui me revenait à l'esprit, Jacques A. avait eu des paroles qui, si on ne connaît pas le principe de «l'insatiable ego», pourraient nous paraître outrageusement sexistes.

«Ma femme me permet d'être moi-même en restant à sa place, avait lancé Jacques d'entrée de jeu. Elle ne se bat pas pour avoir le premier rôle. Chez nous, les rôles ne sont jamais remis en question. Elle me laisse porter la culotte, et jamais elle ne prétendra être la plus intelligente ou en savoir plus que moi. En ne permettant pas au «moi» d'intervenir entre nous, on évite la compétition et les problèmes qui s'ensuivent. C'est une des rares personnes avec qui je ne suis pas en compétition. L'homme vit sans cesse sur la ligne de feu; il a besoin d'être rassuré. J'ai besoin qu'on réveille ma sensibilité, qu'on m'aide à prendre conscience de qui je suis, qu'on m'encourage. Le sexe y est pour beaucoup, mais vous devez aussi toujours faire savoir à votre mari que vous êtes folle de lui.»

Vous pouvez comprendre, maintenant, le sens de ces deux témoignages. D'ailleurs, ces hommes n'ont pas épousé des paillassons; leurs femmes sont toutes deux des femmes d'affaires qui élèvent de jeunes enfants et qui — détail très important — ont reconnu que leur mari était à la fois un homme, un adolescent et un petit garçon. Elles savent, comme l'a expliqué le docteur Train, que: «Le petit garçon en lui a besoin de savoir qu'elle l'aime et qu'elle prend soin de lui. L'adolescent a besoin de savoir que, sexuellement, il répond à toutes ses attentes. L'homme, enfin, a besoin de savoir qu'elle est fière de lui, qu'elle l'approuve dans tout ce qu'il fait. C'est dans ce continuel rapport nourricier que réside l'essence même du mariage.»

Les deux hommes dont je viens de citer les propos sont tous deux fort séduisants et réussissent très bien dans leur carrière. Ils ont certainement tout pour plaire aux femmes. Les deux, d'ailleurs, admettent qu'ils attirent les femmes. Mais d'instinct, leurs conjointes ont compris la dynamique du jeu — le principe de «l'insatiable ego» —, et leur mari est resté fidèle.

Je fis part de ces entrevues au docteur Train. «Voilà, en effet, deux exemples qui illustrent bien mes propos, reconnut-il en souriant. Tout réside dans cette dynamique psychosexuelle qui consiste à répondre aux besoins de l'ego.»

Sur le chemin du retour, je repassai dans ma tête ma conversation avec le docteur Train. Une phrase en particulier me troublait: «Oui, une femme qui veut être aimée, qui veut qu'on lui soit fidèle, sera habituellement prête à enclencher et à maintenir le processus de renforcement de l'ego.» Cela veut dire, conclus-je en m'installant pour transcrire mes notes, que ce sont les femmes, en fin de compte, qui font tout le travail.

Ce que vous allez bientôt comprendre — et que moi-même j'ai compris grâce à la théorie du docteur Train —, c'est que si nous portons la responsabilité du couple, si nous exigeons la fidélité, c'est pour satisfaire les besoins de notre propre ego. Nous verrons dans le prochain chapitre quels sont précisément les besoins des ego masculin et féminin.

CHAPITRE DIX

Le moi secret

Mais qu'est-ce que l'ego? Au sens où je l'entends ici, l'ego, c'est *la conscience que vous avez de vous-même, c'est votre identité, ce que vous êtes. L'ego,* comme l'a souligné le docteur Train, a besoin d'attention.

L'ego a des forces et des besoins qui déterminent sa structure. Or, je suis certaine que l'ego masculin et l'ego féminin n'ont pas la même structure. Il suffit de se servir de son bon sens, d'observer un peu autour de soi pour s'en convaincre. C'est d'ailleurs ce que confirment les centaines d'entrevues que j'ai faites, de même que les dires des psychothérapeutes et des tenants contemporains de la pensée darwinienne.

Personnellement, j'en suis venue à la conclusion que l'ego masculin est soumis à quatre besoins fondamentaux:

> le sexe
>> le pouvoir
>>> la réussite
>>>> la conquête

Lorsque ces besoins sont nourris et assouvis, l'homme se sent bien dans sa peau, satisfait et pleinement lui-même. Mais qu'est-ce que sexe, pouvoir, réussite et conquête signifient pour l'homme d'aujourd'hui? C'est ce que nous allons maintenant tenter de comprendre.

Notre société favorise chez le jeune garçon l'apprentissage de la compétition et de l'agressivité. En le faisant participer à des jeux, en l'intégrant à des équipes, on lui apprend à vivre dans un univers où l'important, c'est de gagner.

Chez le jeune homme ainsi formé, la première expérience sexuelle prend l'allure d'une conquête; une nouvelle forme de jeu. Son premier butin: une femme. Et si, pour l'emporter, il lui faut jouer le jeu de l'amour, il n'hésitera pas à le faire. Chez l'homme, le sexe se vit en termes de victoire et de compétition. *C'est par le sexe qu'un homme affiche sa virilité.*

Les femmes, elles, vivent les choses d'une façon tout à fait différente. La première expérience sexuelle ne marque pas, à leurs yeux, le début d'une longue série de conquêtes; pour la jeune fille ou la jeune femme, il s'agit plutôt d'une découverte qui lui ouvre un monde nouveau; c'est la découverte de l'amour et de l'intimité. Son identité, *sa* féminitude *s'enracine dans l'amour qu'elle donne et qu'elle reçoit.* On a beau favoriser chez les fillettes un plus grand esprit de compétition, il suffit d'observer le comportement qu'elles ont avec leurs poupées pour se convaincre qu'aujourd'hui encore, l'amour et le don de soi occupent une place très importante dans leurs premières expériences. Ce que, d'ailleurs, la société encourage. Il est donc clair pour moi que les besoins fondamentaux de l'ego féminin sont:

> l'amour
>> aimer
>>> être aimée

Encore une fois, je précise que, pour en arriver à cette conclusion, je m'appuie sur mon bon sens et sur mon expérience personnelle ainsi que sur les affirmations de nombreux psychologues, psychiatres et anthropologues.

Le docteur Ethel Spector Person, psychiatre new-yorkaise, auteure de *Dreams of Love and Fateful Encounters: The Power of Romantic Passion*, écrivait dans un récent article: «Chez la femme, la passion se concrétise en général dans un rapport interpersonnel et se traduit habituellement par l'amour romantique; chez l'homme, la passion appelle l'exploit et se concrétise dans la quête du pouvoir et de la réussite.» Elle ajoutait, un peu plus loin, qu'il existe «une distinction fondamentale entre la quête de l'identité féminine, qui se fait par la voie de l'intimité, et la quête de l'identité masculine, qui passe par la réussite.»

Dans son livre *On the Nature of Things Erotic*, le docteur F. Gonzalez-Crussi exprime en d'autres mots la même opinion: «Dans l'esprit de la plupart des hommes, faire l'amour, ça se gagne. Baiser, c'est marquer un point; après le lit, la partie est terminée. Mais les femmes, elles, ne voient pas les choses aussi crûment. Elles sont encore profondément convaincues que le rituel de la séduction a pour but de les rendre amoureuses.»

Selon certains spécialistes, c'est le fameux complexe d'Œdipe qui serait responsable de cette profonde différence entre hommes et femmes; d'autres y voient l'expression des rôles propres à chacun des sexes dans le cycle de la reproduction et l'illustration du principe de la sélection naturelle; d'autres enfin éprouvent de grandes difficultés à accepter ces différences et vont même jusqu'à en nier l'existence. La controverse est loin d'être terminée et la confrontation des opinions est intellectuellement enrichissante, mais selon moi, le véritable problème n'est pas là. Que vous soyez d'accord ou pas avec l'idée que les ego masculin et féminin n'ont pas les mêmes besoins, il n'en reste pas moins que c'est là une donnée à ne pas négliger si vous tenez à ce que votre partenaire soit fidèle.

Ce qu'il importe de retenir, c'est que chez la femme, le besoin de fidélité est directement lié au besoin d'intimité ainsi qu'au désir d'aimer et d'être aimée. L'ego masculin, je le répète, n'a pas les mêmes besoins: son identité est directement liée à sa sexualité et à son besoin de réussite. Le sexe est le pivot de l'identité masculine. «Quand je tire un coup, c'est là que je suis un homme», résume un ouvrier de la construction.

Bon, nous voilà donc avec deux types d'ego qui demandent à être traités de deux façons différentes. Tandis que votre ego se meurt d'aimer et d'être aimé, le sien rêve de conquête, de réussite, de pouvoir et de sexe. Comment concilier tous ces désirs?

Si vous avez lu attentivement ce qui précède, vous comprendrez qu'en comblant les besoins de votre homme, vous comblez votre propre ego. Il ne s'agit pas de vous sacrifier, au contraire; votre ego ne demande qu'à aimer et à prendre soin de l'autre.

Un ego affamé, mal nourri, ira chercher satisfaction ailleurs. Toute femme qui veut vivre une relation basée sur l'intimité, l'amour et la fidélité doit prendre conscience de cette loi fondamentale de la psychologie. En d'autres mots: pour que vos propres besoins soient satisfaits, vous devez satisfaire les besoins psychosexuels de votre amant. «La femme doit comprendre, dit le docteur Train, que le mariage consiste, pour une part, à satisfaire l'ego de l'homme.»

Satisfaire l'ego: voilà la stratégie fondamentale à laquelle je faisais allusion dans les pages précédentes.

Satisfaire son ego

Mais direz-vous, n'est-ce pas là un humiliant retour aux valeurs du passé, alors qu'on exigeait des femmes qu'elles soient sexy et que, le soir, elles accueillent leur mari en déshabillé vaporeux? S'agit-il encore une fois de ménager les susceptibilités de l'ego mâle? N'allons-nous pas de nouveau écoper de tout le travail tandis que les hommes auront congé de devoirs et de leçons?

Absolument pas.

En aucune façon, je ne souhaite le retour aux valeurs traditionnelles qui enfermaient le couple dans des rôles stéréotypés. Mais selon moi, si nous tenons à l'intimité et à la fidélité, c'est à nous d'y veiller, et non aux hommes. Tant qu'il n'y aura pas d'importants changements dans notre société — et dans la constitution même de l'ego —, il me paraît évident que ce sera nous, les femmes, qui demeurerons les gardiennes de la relation amoureuse.

Mais, direz-vous encore, s'appliquer à satisfaire l'ego de l'homme, n'est-ce pas de la manipulation? Manipuler: «Manier quelque chose avec soin; exercer une domination par des moyens détournés, injustes et insidieux.» Oui, bien sûr, en satisfaisant son ego, vous maniez ses sentiments avec soin; bien sûr, vous agissez selon vos propres intérêts. Mais est-ce à son désavantage? N'agissez-vous pas à la fois dans son intérêt et dans le vôtre?

Voyons les choses telles qu'elles sont: oui, ce sont d'abord les femmes qui nourrissent la relation; ce sont elles qui organisent la vie sociale du couple, qui initient le dialogue, qui ménagent une place aux rapports sexuels. Toutes, nous désirons ardemment voir les hommes assumer leur part de responsabilité dans le mariage, mais les femmes mariées à des hommes fidèles, qui m'ont dit vivre une relation heureuse et satisfaisante, m'ont également avoué que c'est sur elles d'abord — mais non totalement — que repose la responsabilité du couple. Or, bien qu'en général elles ne l'admettent pas, consciemment ou non, ces femmes ont recours à la stratégie de la satisfaction de l'ego.

Au cours des dix dernières années, bien des portes se sont ouvertes pour les femmes. Nous ne jouons plus dans la société un rôle prédéterminé; nous nous sommes battues pour qu'on reconnaisse notre droit de faire des choix. Mais je crois qu'en refusant le «rôle» de gardienne de l'intimité, nous fermons la porte à toute amélioration des rapports entre hommes et femmes, et du coup, nous balayons nos chances de jamais voir satisfaits nos besoins d'intimité et de fidélité.

Jusqu'à ce jour, culture et tradition nous imposaient de «satisfaire» l'homme. Maintenant, grâce aux découvertes de la psychologie, il devient clair qu'en satisfaisant un homme, en satisfaisant son ego, nous comblons aussi nos propres besoins. Nourrir et aimer l'autre, en prendre soin, sont des composantes de nos besoins fondamentaux d'aimer et d'être aimée. Je le répète encore une fois: en satisfaisant l'ego d'un homme, nous répondons à notre propre besoin d'aimer et d'être aimée. On n'exige plus de nous que nous nous drapions dans un nuage de tulle pour plaire à un homme; les femmes, aujourd'hui, peuvent bien s'habiller comme elles en ont envie. Satisfaire un homme n'est plus un devoir, c'est un choix.

Si votre homme, par exemple, a un faible pour les tissus vaporeux, à vous de choisir de le séduire par vos plus beaux déshabillés ou de n'en rien faire, si c'est ce que vous préférez. Nous sommes des femmes averties et intelligentes: c'est à chacune de nous qu'il revient de décider si elle veut satisfaire l'ego d'un homme en vue de vivre une relation basée sur l'intimité et la fidélité.

Il importe à cette étape de rappeler un principe fondamental: les femmes ne sont pas responsables de l'infidélité des hommes; elles ne devraient pas non plus se considérer comme des victimes. Si les hommes sont infidèles, ce n'est pas parce que nous ne sommes pas assez sexy ou pas assez intelligentes. Un homme est infidèle parce que certains de ses besoins n'ont pas été satisfaits. *Et il est des hommes qui ont des besoins qu'aucune femme ne saurait combler:* ce sont les hommes à femmes, les drogués du sexe, des êtres névrosés dont l'état requiert des soins professionnels. Ces hommes ne seront jamais satisfaits. Ils en veulent trop — ou pas assez. Seule une bonne thérapie leur permettra de retrouver l'équilibre.

Malheureusement, il y a encore des voix qui s'élèvent pour dire, d'un côté, que les femmes ont un comportement irresponsable ou, de l'autre, que les hommes ne sont que des mufles et des «inconscients». Or, cette vision des choses ne peut que miner notre confiance en nous-mêmes et nos rapports avec les hommes. L'infidélité est une réalité douloureuse et regrettable, mais aujourd'hui nous pouvons prendre les moyens de la prévenir.

Mais comment appliquer dans les faits la stratégie de la satisfaction de l'ego? Comment passer de la théorie à la vie de tous les jours? Avant de répondre à ces questions, étudions quelques cas où l'ego n'a pas trouvé satisfaction à ses besoins et écoutons hommes et femmes nous raconter eux-mêmes ce qui s'ensuivit.

CHAPITRE ONZE

Cœurs affamés

Mes nombreuses entrevues auprès de psychiatres, de psychologues et de conseillers matrimoniaux avec qui j'abordai les thèmes de la fidélité et des besoins de l'ego me permirent d'amasser une multitude d'exemples illustrant la dynamique fondamentale de la satisfaction de l'ego. Je vous livre dans les pages qui suivent trois de ces exemples. Le premier cas est celui de Danièle et Serge W. qui, à première vue, semblaient aux prises avec un problème insurmontable.

Serge est directeur du marketing pour un magasin à succursales multiples. Il a rencontré Danièle alors qu'ils fréquentaient encore tous deux l'université. Champion de lutte et jardinier amateur, il est aujourd'hui marié depuis neuf ans. Pendant toutes ces années, Danièle et Serge ont eu à affronter un problème majeur: Serge insistait pour que Danièle porte des dessous érotiques.

«Quand il me demande ça, expliqua Danièle au conseiller qu'ils allèrent enfin consulter quand leur couple leur parut menacé, j'ai l'impression qu'il me prend pour une putain. Je n'ai rien contre la belle lingerie, mais il veut que je porte des soutiens-gorge avec des ouvertures pour les mamelons et des slips fendus à l'entre-jambes. Il est également obsédé par les jarretières et les bas noirs. Moi, tout ça me fait horreur.»

L'apparat classique des courtisanes, voilà ce qui excitait Serge. À ses yeux, Danièle était d'une pruderie excessive. «Elle ne veut rien entendre; elle n'a même pas voulu tenter l'expérience. J'ai eu beau lui dire que c'était pour s'amuser, qu'on aurait tous les deux un plaisir fou si elle portait ce genre de dessous, elle n'a jamais changé d'idée. Alors j'ai cessé d'en parler mais j'ai continué à avoir les mêmes fantasmes.»

«Danièle et Serge étaient dans une impasse, explique la thérapeute qui les a aidés. Danièle s'emmaillotait dans ses robes de nuit en finette et dormait dans la chambre d'ami; Serge , lui, reluquait les femmes de son bureau et les imaginaient en effeuilleuses, retirant des soutiens-gorge osés et des bikinis. Elle avait l'impression qu'il voulait l'humilier; il avait l'impression qu'elle jouait les intouchables. Serge avait à cœur de respecter ses engagements, mais il était à un cheveu de se lancer dans une aventure qui aurait fait éclater leur mariage.

— Que s'est-il passé? Peut-on amener quelqu'un à changer d'attitude à propos d'une question aussi épineuse? Ou faut-il en venir à un compromis?

— Dans le cas qui nous occupe, il s'agissait de rééquilibrer le comportement sexuel de Danièle et de Serge, en particulier quant à leurs fantasmes. Nous avons d'abord exploré les fantasmes de Danièle. Selon elle, elle n'en avait jamais eu; elle aimait Serge et cela suffisait à attiser son désir. Serge, au contraire, avait toujours entretenu de nombreux fantasmes. Son imagination avait été nourrie des photos de *Lui* et de *Playboy* et des œuvres d'Egon Schiele, cet artiste viennois qui dessinait des femmes lascives, portant comme seul vêtement des bas noirs.

— Danièle ne nourrissait-elle vraiment aucun fantasme?

— Les fantasmes, croyait-elle, comportaient par définition quelque chose de malsain. Elle avait donc l'impression de n'en avoir jamais eu. Elle n'avait jamais frémi devant des images de fouets ou de chaînes, de dessous affriolants ou de jeux lesbiens, mais en fait, elle entretenait le fantasme typiquement féminin de l'amant romantique, que Serge avait d'ailleurs parfaitement satisfait pendant leurs fréquentations et les premières années de leur mariage.

— Comment alors en sont-ils venus à concilier leurs points de vue en apparence fort divergents?»

Encore une fois, on en revenait aux besoins de l'ego. Serge avait besoin de nourrir son image de mâle sexuellement attrayant, pour les faveurs duquel une femme serait prête à faire n'importe quoi, même à jouer la putain. Il avait besoin de concrétiser ses fantasmes pour se sentir plus homme.

«Les fantasmes de Serge n'avaient rien de bien dangereux. Il n'était pas question de violence, précise la thérapeute. Nous avons donc fait en sorte d'amener Danièle à comprendre les besoins de son mari.

— Et ses besoins à elle, qu'en avez-vous fait?

— Danièle avait besoin d'un amant romantique et Serge savait répondre à ce besoin. Or, si Danièle avait le droit de s'attendre à ce que Serge soit un amant romantique, Serge, lui, avait également le droit de s'attendre à ce que Danièle, au lit, se transforme en putain.

— Comment avez-vous procédé?

— Il a fallu dans un premier temps désamorcer les sentiments qu'inspiraient à Danièle les fantasmes de Serge. Elle avait nettement l'impression qu'il voulait «l'humilier». Nous nous sommes attaqués tout d'abord à l'objet même du litige: les dessous. Nous avons alors découvert que si Danièle les achetait elle-même, elle les portait avec plus d'aisance. Elle sentait alors qu'elle avait une certaine maîtrise de la situation, qu'elle pouvait, elle aussi, y mettre du sien, par exemple en choisissant de la lingerie rose plutôt que noire. J'aimerais bien pouvoir vous dire qu'aujourd'hui elle raffole de ce genre de sous-vêtements, mais ce n'est pas le cas — pas encore. Ce qui la réjouit, par contre, c'est la constante attention que lui porte maintenant son mari et le nouvel équilibre que connaît son mariage.

— Croyez-vous qu'un jour elle prendra plaisir à porter ces vêtements?

— Oui, c'est tout à fait possible. Déjà, elle est en mesure d'apprécier l'impact qu'a eu sur sa relation le simple fait qu'elle accepte de les porter. Je crois qu'avec le temps elle éprouvera de plus en plus de plaisir à participer aux fantasmes de Serge; la lingerie érotique ne sera plus alors qu'un accessoire dans leurs jeux sexuels.»

Étudions maintenant le cas de Marc T., le double masculin de Danièle. Jusqu'à sa récente séparation, Marc vivait avec sa femme Victoria, qui n'avait de victorien que le nom.

Marc, qui a été élevé selon des principes religieux très stricts, est un homme d'une grande pudeur. Bien qu'il ait un très beau corps, il évite de se montrer nu. Victoria, sa femme, est, sous cet aspect, tout à fait son opposée. Grande sportive depuis sa plus tendre enfance, elle ne ressent aucune gêne à montrer son corps et circule souvent dans la maison complètement nue. Elle n'agit pas ainsi dans le but de séduire; c'est tout simplement une habitude qui lui vient de sa jeunesse. Quand

Marc lui fait part de son malaise de la voir ainsi se promener toute nue, elle le taquine gentiment à propos de sa pudeur. Marc appréciant peu ce genre de remarques, il demanda un jour à son épouse de ne plus le taquiner à ce sujet, mais celle-ci continua à se moquer de lui et à circuler toute nue dans la maison, se disant qu'il n'y avait rien de grave à cela et que les reproches de Marc n'avaient rien de bien sérieux.

Marc, qui est à l'emploi du gouvernement, fut un jour attiré par une très belle femme qui travaillait dans son département. Il fut séduit par ses robes à la Laura Ashley, par ses gestes empreints de modestie. Il pensa que gagner l'affection de cette femme devait être difficile et se mit en frais pour la séduire. Elle résista un certain temps à ses avances, puis tomba dans ses bras.

Quand, quelques mois plus tard, Marc demanda le divorce pour épouser l'autre femme, Victoria en fut atterrée. Elle n'avait jamais douté de la fidélité de son mari. «Marc était un homme profondément religieux, dit-elle, et il accordait une grande valeur à la fidélité. J'avais peut-être rêvé d'une vie sexuelle plus excitante, mais dans l'ensemble je n'avais pas à me plaindre et jamais je n'aurais cru qu'il puisse même fréquenter une autre femme. Il m'a dit qu'elle est super sensuelle. Je n'arrive pas à le croire. Je l'ai vue; elle est tout en os. Le type collet monté; une vraie bibliothécaire.»

Victoria aurait-elle pu éviter le divorce? C'est la question que je posai à la thérapeute qu'elle alla consulter après le départ de Marc.

«Si elle avait respecté les valeurs morales de son mari, me répondit celle-ci, leur mariage aurait probablement duré. En acquiesçant à sa demande, elle ne compromettait en rien ses propres valeurs. Mais bien qu'il eût été pour elle très facile de le satisfaire, elle ne l'a pas fait parce qu'elle n'a pas perçu combien ce détail était important pour lui.

— Mais qu'est-ce que cela pouvait bien lui faire qu'elle se promène toute nue dans la maison? À moi aussi, cela me paraît sans importance.

—La nudité de Victoria entrait en contradiction avec la structure même de l'ego de Marc. Cette habitude était devenue pour lui intolérable. En se promenant toute nue dans la maison, Victoria perdait aux yeux de son mari tout pouvoir érotique. Elle l'inhibait sexuellement. La séduction, pour cet homme, consistait à déshabiller lentement une femme, à découvrir sous les apparences extérieures l'être sexuel. Il y a des hommes qui sont excités à la vue de leur femme qui se promène nue dans la maison; ce n'était pas le cas de Marc, bien que Victoria fût une très belle femme. Son désir à lui était, au contraire, éveillé par un comportement fortement empreint de modestie. Il choisit une autre femme beaucoup moins belle mais qui, par son attitude réservée, répondait à ses besoins fondamentaux, stimulait son énergie sexuelle, lui donnait l'impression d'être plus viril.

— Bon, je comprends les besoins de Marc, mais revenons à ceux de Victoria, si vous le permettez. Il était important pour elle de pouvoir se libérer de ses vêtements, de vivre sans ces entraves...

— Oui, mais cela ne mettait pas en cause son identité. Or, ce comportement, qui n'était qu'une simple habitude, avait de graves répercussions sur la sexualité de son mari.

— D'accord», dis-je, reconnaissant la valeur de son argument.

Il était important pour elle de se promener nue, mais il était encore plus important pour lui qu'elle s'en abstienne.

— Encore une question, ajoutai-je. Victoria a dit que Marc était un homme plutôt réservé sexuellement; elle devait donc elle-même assumer une certaine frustration. Aurait-elle pu, à la fois, répondre aux besoins de son mari et aux siens?

— Bien sûr. Elle aurait pu, petit à petit, éveiller la sensibilité érotique de son mari et l'amener à répondre à ses besoins. Si elle avait cessé de se promener toute nue dans la maison — ce que d'ailleurs, vous vous en souvenez, il lui avait demandé —, elle serait devenue, à ses yeux à lui, beaucoup plus attirante, beaucoup plus désirable et leurs rapports sexuels en auraient bénéficié. Elle aurait pu, alors, lui faire part de ses besoins, et dans cette atmosphère de réceptivité, son message aurait sans doute été entendu. Elle a souffert de l'inhibition de son mari, qu'elle-même entretenait par sa nudité.

— Donc, en répondant aux besoins de Marc, c'est en fin de compte ses propres besoins qu'elle aurait comblés.

— Exact. Ce qu'il importe de retenir dans le cas de Marc et de Victoria, c'est que leurs besoins ne s'excluaient pas mutuellement. Victoria n'aurait pas enfreint son code moral en portant des vêtements dans la maison; ce n'était pas dans ses habitudes, voilà tout. Elle n'aurait compromis en rien non plus l'épanouissement de sa personnalité en acquiesçant aux demandes de

Marc. Mais elle n'écoutait pas. Elle n'a pas su interpréter les indices, même les plus évidents. Elle n'a pas saisi le message, même quand il lui a clairement dit qu'il aurait préféré qu'elle se promène moins souvent nue. Dans le cas de Marc, par contre, les choses se passaient comme je l'ai dit plus tôt à un niveau beaucoup plus profond.

— Même sans connaître le principe de la satisfaction de l'ego, elle aurait pu, en écoutant bien et en agissant en fonction du message qui lui était transmis, neutraliser les effets de sa prude rivale et sauver son mariage. Bien des souffrances auraient pu ainsi être épargnées.

— Vous avez tout à fait raison. Victoria n'a jamais voulu ce divorce, mais elle a compris trop tard; il était déjà amoureux d'une autre femme.»

Mes carnets de notes et mes cassettes d'enregistrement sont remplis d'histoires comme celles que vous venez de lire; dans chaque cas, il est question de besoins non satisfaits et d'infidélités aux tristes conséquences. Moi-même, peut-être, si j'avais connu plus tôt le principe de la satisfaction de l'ego, j'aurais peut-être pu nous éviter à Christian et à moi bien des déboires.

J'étais profondément amoureuse de Christian, avec qui j'habitais depuis un peu moins d'un an. Il avait quitté la côte ouest pour venir me rejoindre à New York, mais Los Angeles lui manquait terriblement. C'était son premier hiver dans l'Est; nous étions en février. Il régnait un froid intense qui semblait ne jamais devoir finir; le ciel était bouché; chaque soir, à la télé, les météorologues nous annonçaient sans ménagement un temps de plus en plus froid. Christian devait aller passer une semaine en Californie pour y terminer un contrat. De mon côté, un contrat urgent m'empêchait de l'accompagner.

Jamais encore, depuis le début de notre relation, je n'avais eu à subir une tension aussi forte à mon travail. L'article à remettre me causait énormément de difficultés et déjà, avant le départ de Christian, je n'avais que cela en tête. Aussi dois-je admettre que ce voyage tombait pile: une fois seule, j'avais pu enfin me consacrer entièrement à mon boulot. Mais Christian me manquait atrocement; c'était la première fois que nous nous séparions. Nous nous téléphonions deux ou trois fois par jour. Los Angeles lui plaisait toujours autant, disait-il, mais, malgré la neige, la gadoue et la violence qui régnait dans le métro, il était heureux d'avoir choisi de vivre avec moi à New York.

Nous célébrâmes son retour au champagne et allâmes passer la soirée en ville dans un café chic. Deux jours plus tard, nous attendions des invités pour le dîner lorsque la rédactrice en chef à qui j'avais soumis mon article téléphona pour me faire part des quelques modifications qu'elle jugeait nécessaire d'y apporter. Je révisai avec elle certains passages, sans quitter des yeux l'horloge qui me rappelait que nos invités seraient là d'une minute à l'autre et que le repas était loin d'être prêt. Soudain, une téléphoniste interrompit notre conversation.

«Un appel urgent pour monsieur Christian Franklin, dit-elle.

— De la part de qui? demandais-je, le cœur battant la chamade. Jamais auparavant une téléphoniste n'avait surgi ainsi au beau milieu d'une conversation pour me transmettre un appel d'urgence.

— Gina Walker», dit une autre voix de femme.

Ma rédactrice en chef raccrocha en me disant qu'elle me rappellerait plus tard et je courus à la cuisine prévenir Christian.

«Oui, dit-il en prenant l'appel. Non... impossible. Je croyais avoir été très clair à ce sujet...»

Cette conversation d'affaires sonnait faux.

Immédiatement, j'ai su avec certitude qu'il avait couché avec Gina Walker et que celle-ci le suppliait maintenant de revenir à Los Angeles.

«Non, répéta-t-il d'un ton ferme mais sans perdre patience. Il n'en est pas question. Nous attendons des invités d'une minute à l'autre et je vais raccrocher...»

Second silence pendant lequel elle tenta probablement de le retenir. Il écoutait attentivement.

«Je suis désolé, mais je ne peux prolonger cette conversation», dit-il sèchement.

Puis il raccrocha.

Je n'avais jamais rencontré Gina Walker, mais Christian m'en avait parlé. C'était une brillante avocate avec qui il avait souvent eu l'occasion de travailler. Il m'avait également dit qu'il avait eu un dîner d'affaires avec elle au cours de la semaine précédente.

«Qu'avait-elle donc de si urgent à te dire? demandai-je, tentant désespérément de ne pas perdre mon calme, les mains glacées par la peur.

— Elle est pressée de conclure une affaire qui n'a aucune chance de réussir...

— Cela justifiait-il un appel d'urgence?» interrompis-je, n'arrivant plus à dissimuler ma nervosité.

À ce moment-là, on sonna à la porte. Nos invités arrivaient.

Pendant tout le dîner, la peur, la rage, le ressentiment se livrèrent en moi une bataille féroce. Je n'ai pas avalé une bouchée, et toute la soirée, j'ai fui le regard de Christian. Si nos amis n'avaient pas été là, je ne sais vraiment pas ce qui se serait passé.

Je n'avais aucune preuve que mes craintes étaient fondées. Christian n'avait-il pas dit qu'elle téléphonait pour régler une affaire? Je n'avais aucune raison de douter de l'amour de Christian et jusqu'à cet appel, j'étais certaine d'être la seule femme dans sa vie. Comment lui dire tout cela sans crier, sans faire une scène? Ce soir-là, j'ai profondément haï Gina Walker, d'une haine qui me glaçait jusqu'aux os. La température de mon corps avait littéralement chuté; j'avais les pieds froids et humides et mes mains tremblaient. L'idée qu'elle ait pu l'appeler à la maison, allant jusqu'à prétexter un appel d'urgence, me rendait folle de rage au point que j'avais peine à me maîtriser.

Aussitôt que nos amis eurent quitté la maison, je demandai à Christian, le plus calmement possible: «S'il te plaît, dis-moi la vérité. As-tu couché avec Gina pendant que tu étais à Los Angeles? J'ai besoin de savoir. Je t'en supplie.»

Un flux d'émotions me submergea encore une fois pendant que j'attendais sa réponse. J'avais envie de l'embrasser. Quant à elle, j'aurais voulu l'étrangler. J'étais obsédée par cet appel d'urgence. J'avais envie de pleurer, de crier. J'aurais voulu que tout cela n'ait jamais eu lieu.

«Non, dit-il. C'était un simple coup de téléphone d'affaires, je te l'ai dit. Je vais aller faire la vaisselle.»

Il mentait.

Je lui tournai brusquement le dos et me dirigeai vers la salle de bain. Je me fis couler un bain chaud dans l'espoir de me détendre un peu et pour réfléchir le plus calmement possible à ce que j'allais dire ou faire ensuite.

Quelques minutes plus tard, il entra dans la pièce et vint s'asseoir sur le bord de la baignoire.

«Oui, dit-il, j'ai couché avec elle. Je ne peux pas expliquer ce qui s'est passé. Une simple affaire de sexe. Elle n'est rien pour moi, je t'assure. C'est toi que j'aime.»

Dans les jours qui suivirent, je passai à l'attaque. Ensuite, je me repliai. Puis je lui servis le traitement du silence. Enfin, ce furent les explications. Si ce n'était qu'une affaire de sexe, insistai-je, pourquoi alors lui avait-elle téléphoné — elle savait que nous habitions ensemble, non? Son geste laissait supposer un engagement émotionnel beaucoup plus profond. Si elle a téléphoné, expliqua-t-il, c'est qu'elle a peut-être cru qu'il y avait autre chose. Mais il n'y a rien eu. C'était une simple affaire de sexe, te dis-je.

Si, pour toi, il est clair que ce n'est qu'une affaire de sexe, raisonnai-je, il est bien évident que pour elle ce ne l'est pas. Donc, ce n'est pas seulement une affaire de sexe. Et d'ailleurs, si ce n'était qu'une affaire de sexe, ne pouvais-tu attendre une semaine et faire l'amour avec moi? Et ainsi de suite, à n'en plus finir. Interminable monologue intérieur. Pénibles discussions avec lui.

Finalement, ma colère se calma assez pour que je puisse écouter ce qu'il avait à dire à propos de Gina. Christian et elle avaient eu une brève liaison plusieurs années auparavant. Puis ils étaient devenus bons copains et avaient travaillé ensemble. Lors de son séjour à Los Angeles, il l'avait rencontrée par hasard et, comme il avait besoin d'un avis légal à propos d'un projet auquel il travaillait, ils avaient décidé d'aller dîner ensemble. Elle avait proposé son appartement de façon qu'ils puissent étudier le dossier à leur aise, et la soirée s'était terminée au lit. Il avait gardé, disait-il, un bon souvenir de leurs prouesses sexuelles passées et avait eu envie de répéter l'exercice, voilà tout.

En fait, ce n'était pas tout. Bien qu'il m'aimât vraiment, Christian me fit peu à peu comprendre qu'il me trouvait «un peu naïve» en matière de sexe.

Je n'en revenais pas. Je m'étais toujours considérée comme une femme intelligente et je n'avais rien d'une sainte nitouche. Bien sûr, reconnut-il, mais j'en avais encore à apprendre.

Et j'en appris beaucoup, grâce aux retombées de l'affaire Gina Walker et à mes longues recherches. Toutes ces fouilles et ce travail sur l'amour et la sexualité donnèrent naissance à mon premier livre, *Comment faire l'amour à un homme*. Mais ce n'est qu'à travers les entrevues que je réalisai pour le présent ouvrage, et après avoir compris le principe de la satisfaction de l'ego, que je découvris que d'autres raisons avaient motivé Christian à se réfugier dans les bras de Gina Walker.

Mon travail m'ayant pris beaucoup de temps, j'avais accordé moins d'attention à Christian et, pour la première fois depuis notre rencontre, celui-ci s'était senti coupé de moi. Il ne percevait plus le lien affectif qui nous unissait et il avait eu l'impression que, sexuellement, je l'abandonnais. Confiné entre les quatre murs d'un petit appartement, dans une ville peu hospitalière qu'il ne connaissait pas, il lui fallait en plus s'adapter à un nouveau milieu de travail. Il n'avait pas été facile pour lui de quitter son ancienne vie et je comprenais très bien ses sentiments, mais j'étais loin de me douter qu'il pouvait se sentir négligé sexuellement. Je ne savais pas non plus qu'il s'inquiétait de son avenir financier et qu'au travail un enchaînement de revers plus ou moins importants avait petit à petit miné cette merveilleuse assurance qui, dès nos premières rencontres, m'avait tant séduite. Nos longues conversations me donnaient l'impression que nous étions très près l'un de l'autre. Je croyais connaître ses pensées sur presque tous les sujets. Nous n'avions jamais abordé celui de l'infidélité, mais comme nous vivions ensemble et que nous avions l'intention de nous marier, j'avais estimé que nous partagions la même perception des choses.

Nous habitions ensemble depuis un an et nous nous connaissions depuis deux ans; nous abordions un tournant difficile, le moment où l'engouement fait place à la véritable intimité; mais à cette époque, je ne connaissais pas encore ces étapes qui marquent l'évolution de la relation amoureuse. J'avais toutefois cru déceler chez Christian un certain malaise. Il m'avait en effet envoyé des signaux de détresse auxquels j'avais décidé que je répondrais après avoir fini mon article. Le travail me prenait toutes mes énergies; j'avais moi aussi des difficultés financières et je supportais mal d'entrer dans ma salle de bain et d'y trouver sur le plancher un tas de serviettes mouillées que Christian avait négligé de ramasser.

Quand je repense à cette époque, je comprends maintenant que je sous-évaluais les difficultés auxquelles Christian avait à faire face pour s'adapter à la vie new-yorkaise et que lui-même, dans son for intérieur, devait se sentir l'âme comme une serviette mouillée. En d'autres mots, son ego commençait à ressentir les tiraillements de la faim. Aussi, après quelques verres de tequila, quand Gina lui déclara qu'il était le meilleur amant qu'elle eût jamais connu, la personne la plus intelligente et la plus créative avec qui il lui eût été donné de travailler, il ne put résister.

Je ne crois pas que Gina ait agi de façon préméditée. Si les choses se sont passées ainsi, c'est tout simplement parce que certains besoins n'avaient pas été satisfaits.

En quoi exactement l'attitude de Gina répondait-elle aux besoins de Christian? Revoyons les faits. Ils se rencontrent pour parler affaires. L'heure du dîner approche et ils n'ont toujours pas terminé. Gina — je l'ai appris plus tard — est un véritable cordon-bleu; il est donc normal qu'elle propose à Christian de dîner chez elle plutôt qu'au restaurant. En plaisantant, elle demande à Christian quel est son mets préféré. Il lui répond qu'il raffole du bœuf à la mode. Ils passent donc une partie de la soirée à table, face à face, partageant à la chandelle un délicieux bœuf à la mode généreusement arrosé d'un bon vin. Un repas qu'elle a préparé *juste pour lui*. Si on regarde les choses d'un point de vue psychologique, on peut dire qu'elle nourrit l'enfant en Christian, et que l'enfant apprécie le soin que Gina prend de lui.

Pendant le dîner, ils parlent affaires et elle écoute tout ce qu'il dit avec intérêt. Elle lui pose des questions et il lui fait part de ses difficultés au travail et des revers auxquels il a eu à faire face dans ses tentatives pour se faire un nom à New York. De son côté, elle l'encourage en lui rappelant comment, dans le passé, il a toujours fait preuve d'une grande clairvoyance dans toutes les transactions sur lesquelles ils ont eu l'occasion de travailler ensemble et combien, encore une fois, il se montre créatif dans le projet dont, en ce moment même, ils sont en train de discuter. Je n'ai aucun doute quant à la sincérité de Gina, mais dans les faits, elle fait plus que lui montrer son appréciation, elle nourrit Christian; elle fait appel à ses émotions. Gina reconnaît son besoin de se sentir fort, de réussir. L'adulte en Christian est conscient du fait qu'elle est fière de lui, qu'elle l'approuve.

Pour couronner le tout, quand ils en viennent à parler du bon vieux temps, elle prend soin de lui faire savoir qu'il est «le meilleur des amants». Et voilà l'adolescent satisfait — du moins pour le moment —, se voyant confirmer que sexuellement, il est tout pour elle, et donc qu'il est un homme fort et capable de satisfaire une femme.

Gina a nourri l'enfant, l'adolescent et l'adulte; Christian, de son côté, l'a perçue comme étant compréhensive, chaleureuse et sensible. En un mot: désirable. Une seule ombre au tableau: elle n'est pas sa compagne. Sa compagne, elle, se trouve à cinq mille kilomètres de là, inconsciente du fait que Christian a atteint le point dangereux où, selon les lois de la dynamique psycho-sexuelle, les besoins insatisfaits s'expriment. Dans ce cas-ci, c'est dans le lit à baldaquin de Gina que l'ego choisit d'aller chercher ce qui lui manque.

Inutile de dire que cela m'a servi de leçon.

CHAPITRE DOUZE

Comment en faire un homme fidèle?

Vous savez maintenant que la fidélité repose sur un principe très simple: la satisfaction de l'ego. Voilà pour la théorie. Mais comment cela va-t-il se concrétiser dans votre vie de tous les jours?

La première étape est franchie: vous avez pris conscience des principaux besoins de l'ego; dans son cas à lui: conquête, réussite, sexe et pouvoir; dans votre cas: amour, aimer et être aimée.

La deuxième étape consiste à identifier les besoins particuliers de votre partenaire, qui doivent être comblés quotidiennement pour que son ego soit pleinement satisfait. Or, c'est l'*EMPATHIE* qui vous permettra de découvrir les nutriments essentiels à la santé de son ego.

L'empathie, c'est la capacité de ressentir ce que l'autre ressent, de s'identifier à lui de façon à percevoir avec précision ce qui, dans son cas, engendre l'amour ou la haine, la peur, l'angoisse ou la sérénité. Si vous arrivez à imaginer ce que votre conjoint pense, ce qu'il ressent, vous serez à même de mieux identifier les besoins qui lui sont propres.

«L'empathie, c'est la capacité de percevoir le monde du point de vue de l'autre», explique Karl Scheibe. Dans ses cours, M. Scheibe a recours au psychodrame et demande aux étudiants de se mettre dans la peau d'un autre et de jouer son rôle pendant quelques minutes. «La plupart des gens, dit-il, méconnaissent leur pouvoir d'empathie. Vous en savez probablement plus que vous ne croyez au sujet de l'autre.»

«L'hostilité est le principal ennemi de l'empathie», ajoute Karl Scheibe. Vieilles querelles et conflits non résolus peuvent freiner votre élan. La véritable empathie, souligne-t-il, exige une réelle volonté de s'identifier à l'autre.

Toute interaction suppose une certaine dose d'empathie. Mais ce qui nous intéresse ici, c'est votre relation amoureuse. Or, vous arriverez d'autant mieux à connaître votre mari ou votre amant si, au départ, vous reconnaissez et acceptez que *la plupart des hommes arrivent difficilement à exprimer leurs besoins.*

Le silence est parfois éloquent

Jusqu'ici, il a surtout été question de l'importance et de la constance des besoins sexuels chez l'homme et de la façon dont ceux-ci se rattachent à son appétit de pouvoir, de conquête et de réussite.

Mais qu'en est-il des besoins particuliers à votre homme? Comment les identifier? En lui demandant lui-même de le faire, serions-nous tentées de répondre. Le dialogue, en effet, peut stimuler fortement l'empathie et nous aider à connaître ses besoins et les nôtres. Mais la plupart des hommes ne parlent pas. Surtout pas de ce qu'ils ressentent.

Si vous voulez en arriver à ressentir ce que votre homme ressent, il vous faudra d'abord découvrir pourquoi il refuse de parler. Avez-vous déjà remarqué que tous les hommes sont dans leurs petits souliers dès qu'on exprime le désir d'avoir avec eux «une conversation»? Ils se sentent vraiment mal à l'aise. Dès qu'ils entendent la phrase: «Veux tu que nous en parlions?», beaucoup d'hommes ont la même réaction physiologique: le pouls s'accélère, le cœur s'emballe, une bouffée d'angoisse surgit du plus profond de leur être. Les femmes, au contraire (et des études récentes le prouvent), sont à l'aise dans les échanges verbaux; les mots, pour elles, ont un sens (par exemple, quand un homme nous dit: «Je te téléphonerai plus tard», nous nous attendons à ce qu'il appelle le soir même, lorsque pour lui ces mots ne sont qu'une façon de prendre congé). Nous éprouvons également une grande facilité à parler de sentiments et de choses intimes.

Larry, un ami écrivain, me dit: «Tu me demandes comment on en arrive à identifier les besoins d'un homme. Eh bien, je te dirai qu'il faut d'abord comprendre leur mécanisme sous-jacent. Tout homme a des émotions, mais il ne sait trop qu'en faire. Dans ce domaine, il se sent comme un enfant, tandis qu'il considère la femme comme une experte. Donnez-nous une chance. Ce n'est pas du jour au lendemain que les hommes se sentiront aussi à l'aise en cette matière que la plupart des femmes. Laissez-nous le temps d'apprendre à communiquer.»

Les hommes n'ont pas tous une perception aussi claire de la situation. Il m'est arrivé souvent, quand je les questionnais à ce sujet, d'avoir soudain l'impression qu'ils n'arrivaient plus à me suivre. Ce genre de questions les met mal à l'aise, et comme ils refusent d'en parler, je n'arrivais pas à mettre le doigt sur le bobo; Larry, selon moi, n'avait fait qu'effleurer la question.

Il me fallait pousser un peu plus loin mes recherches pour mieux analyser la difficulté qu'éprouvent les hommes à verbaliser leurs sentiments et en particulier à faire part de leurs besoins. En d'autres mots, je devais dénicher de nouvelles données qui me permettraient de mieux comprendre les hommes et de développer moi-même une plus grande empathie à leur égard. Je téléphonai donc à Robert Lang, qui depuis longtemps m'assiste dans mes recherches. Robert a vingt-huit ans et détient un doctorat de l'université Columbia; il écrit, il enseigne et il a collaboré depuis le début à mes recherches sur la fidélité ainsi qu'à la préparation de mes deux derniers livres. «Robert, il faut absolument que je comprenne pourquoi les hommes ne parlent pas», lui déclarai-je le jour où il passa à mon bureau pour s'enquérir du type de documentation qui m'était nécessaire.

Au lieu de nous en tenir à notre baratin habituel à propos de mes recherches, nous eûmes cet après-midi-là une fort intéressante conversation. Dès que je lui eus fait part de mes besoins, Robert s'assit et retira ses lunettes cerclées d'écaille dont il se mit à nettoyer consciencieusement les verres. J'attendais qu'il me demande de quel type de documentation j'avais besoin, mais au lieu de cela il me dit: «La vie privée d'un homme, c'est son point sensible, son talon d'Achille.»

Puis il se tut.

«Continue, dis-je. C'est exactement le genre de choses dont les hommes ne veulent pas parler.

— Toute intimité, reprit-il en remettant ses lunettes, engendre une vulnérabilité émotionnelle et les hommes ne peuvent se permettre d'être vulnérables. Notre société ne l'accepte pas encore. Parler avec une femme de l'intimité qu'on vit avec elle, c'est parler de soi, révéler qui on est. C'est aussi avouer ses besoins, et les hommes ne sont pas censés avoir de besoins.

— Mais Robert, dis-je, lui coupant la parole, tu as vingt-huit ans! Tu ne fais certainement pas partie de ceux qui avalent ce... comment dire... ces propos phallocrates. Les jeunes de ta génération ont dépassé cela, non?

— C'est exactement ce que je veux dire, car nous en sommes toujours là, figure-toi. Aujourd'hui encore, on nous apprend que les hommes doivent se suffire à eux-mêmes. Ils arrivent à parler de sexe, parce que le sexe, c'est une affaire de technique; c'est un jeu; une question de conquête, de pouvoir. Ils refusent de parler de leur relation avec l'autre, parce qu'ils ne veulent pas savoir qu'ils ont besoin de quelque chose ou de quelqu'un. Parler de fidélité ou de leur rapport à l'autre, pour eux, c'est faire face à leurs manques et devoir reconnaître qu'ils ont besoin des autres, qu'ils sont des êtres dépendants.»

Robert venait de répondre de façon éloquente aux questions que je me posais à propos du silence dont les hommes entourent leur vie intime. Voici comment je reformulerais ses propos: l'homme refuse de faire part de ses besoins parce qu'en se dévoilant, il a l'impression ou il a peur de se montrer faible. Or, pense-t-il, s'il se montre faible, on le rejettera. Et le rejet, ça fait mal, ça peut même vous détruire; alors il mieux vaut se taire et refuser d'aborder des questions aussi épineuses.

Ouvrez l'œil, tendez l'oreille

Vous connaissez maintenant les besoins fondamentaux de l'ego masculin et vous comprenez également pourquoi les hommes refusent d'en parler. Il vous reste à présent à faire l'inventaire des besoins particuliers de *votre* amant. Comment y arriver? Rien de plus simple: il s'agit d'observer attentivement votre conjoint.

Répondre d'abord aux questions suivantes:

Comment réagit-il quand vous lui faites un compliment?

Quelle est sa réaction lorsque vous lui apportez un café ou un jus d'orange au lit?

Quelle est son attitude lorsque vous lui posez des questions à propos de son travail?

Savez-vous déceler à quel moment il a besoin de temps pour lui?

Connaissez-vous ses fantasmes sexuels préférés?

À quels signes reconnaissez-vous qu'il est stressé?

Savez-vous reconnaître ses moments d'ennui ou de déprime? Sauriez-vous dire alors ce qui provoque cet état?

S'il n'a pas envie de faire l'amour, savez-vous pourquoi?

Sauriez-vous évaluer avec précision le taux de stress qu'il éprouve?

Quelle est sa réaction devant une publicité de sous-vêtements? Devant des photos de *Playboy*?

Quand il acquitte une facture, sauriez-vous dire ce qu'il pense à ce moment-là?

Quelle serait sa réaction si vous apportiez à la maison la cassette d'un film porno?

Ayant soumis ces questions à la plupart des hommes que j'interviewai, je fus étonnée de découvrir que nombre d'entre eux avaient la nette impression que leur conjointe ne pourrait pas y répondre.

Ces questions, je vous les soumets à votre tour pour vous mettre sur la piste, pour vous indiquer ce que vous devriez chercher à savoir, si vous ne le savez pas déjà, à propos de votre partenaire. Qu'est-ce qu'il aime? Qu'est-ce qu'il préfère? Qu'est-ce qui l'ennuie? Qu'est-ce qu'il déteste? Que veut-il? Que pense-t-il? Comment se sent-il? Quels fantasmes nourrit-il? C'est cela que vous devez découvrir.

Voici ce que conseille un éminent psychologue. «Tentez de déceler ce à quoi l'autre personne accorde de l'importance. Posez-lui des questions et observez attentivement comment elle réagit à tel ou tel type de récompense ou de privation.» En résumé, votre tâche consiste à mettre au jour le plus de données possible à son sujet, de sorte que vous puissiez ensuite percevoir le monde de son point de vue, c'est-à-dire vous mettre à sa place.

Un des aspects les plus importants de cette enquête délicate, c'est l'*écoute* attentive. Des chercheurs de l'université Yale qui ont questionné des gens pour déterminer quels étaient les éléments les plus importants d'une relation intime ont obtenu les résultats suivants: en tête de liste, la communication et le support mutuel; puis, la compréhension et la valorisation.

«Si les gens ont mentionné en premier lieu communication et support mutuel», explique Robert Sternberg, qui a participé à cette étude dirigée par Sandra Wright, et dont il est question dans le livre *The Triangle of Love*, «c'est qu'ils cherchent quelqu'un qui non seulement puisse leur faire part de ce qu'il ou elle ressent, mais qui sache aussi écouter.»

«La meilleure façon d'obtenir une amélioration rapide de vos rapports avec votre partenaire, souligne Robert Sternberg, c'est d'écouter attentivement ce qu'il ou elle a à dire et — le second point étant aussi important que le premier — de faire preuve d'empathie en essayant, dans la mesure du possible, de vous mettre à sa place.»

Écoutons le sage commentaire d'une femme quant à l'importance d'observer et d'écouter l'autre pour en arriver à découvrir ses besoins.

«J'avais quitté depuis peu la ville pour venir m'installer ici, en pleine nature. Ce jour-là, j'ai aperçu, sur mon perron, deux magnifiques canards sauvages qui se chauffaient paisiblement au soleil. J'ai pris le temps de les observer et d'écouter leur silence. À New York, comme d'ailleurs dans toutes les grandes villes, les hommes et les femmes n'ont pas le temps d'écouter et de regarder. Ce n'est que dans le calme et la tranquillité qu'on apprend à voir, à entendre et à comprendre.

«Certaines femmes sont tellement occupées à dire aux hommes comment ils devraient penser et agir — à propos, entre autres, de la fidélité — qu'elles n'écoutent pas. Elles dépensent plus d'énergie à parler qu'à écouter ce que les hommes ont à dire. Enfants, nous avons été habituées à parler à la place de nos poupées; il semble que nous ayons conservé cette habitude avec les hommes. Mais les hommes ne sont pas des poupées, ce sont des adultes qui pensent par eux-mêmes. Laissez-les s'exprimer, que ce soit en paroles ou en actes, et vous apprendrez bien des choses à leur sujet.»

Écoutez quand il vous parle. Écoutez quand il parle à ses collègues, à ses copains, à ses amis, à ses parents. L'écoute est un inestimable instrument de connaissance qui permet d'atteindre simultanément trois objectifs.

- L'écoute est un excellent moyen de découvrir les besoins de votre partenaire.
- L'écoute augmente votre pouvoir d'empathie.
- L'écoute est un moyen simple de satisfaire son ego.

Ma propre expérience d'écoute est, je crois, un bon exemple de la façon dont on peut atteindre ces trois objectifs. Si je dis à un homme que je désire lui poser des questions pour connaître son point de vue, en précisant que j'ai tout mon temps pour bien écouter, je n'obtiens pas du tout la même réaction que si je me contente de dire: «Je voudrais vous interviewer sur tel ou tel sujet.» Aussitôt qu'un homme sent que je suis vraiment intéressée à ce qu'il a à dire, il a l'impression d'avoir effectivement quelque chose d'intéressant à me raconter. Et il a raison; tout le monde a quelque chose d'intéressant à transmettre à l'autre. C'est la dynamique psychosexuelle de l'ego qui se met en marche: cet homme se sent important — et pour moi, il l'est vraiment — donc son ego est satisfait et, de ce fait, il aura meilleure opinion de moi et de lui-même. Son ego a reçu une petite dose d'encouragement, et moi, en retour, je me vois récompensée en obtenant une entrevue plus sincère et plus révélatrice.

Quand je parle avec un homme, je voudrais qu'il comprenne que j'essaie de me mettre à sa place, de voir les choses comme il les voit, à travers ses propres lunettes de presbyte ou de myope. Je le répète, dans mon cas, les résultats sont bons; il se sent bien et j'obtiens ce dont j'ai besoin. Ces rencontres, bien sûr, sont strictement professionnelles, mais le même principe s'applique à toute relation homme-femme.

La reprogrammation

Vous avez maintenant franchi plusieurs étapes:

- vous connaissez les besoins de l'ego masculin;
- vous savez que l'ego a besoin d'être nourri;
- vous savez que les hommes sont de piètres communicateurs quand il s'agit de nous faire part de leurs besoins;
- vous avez observé votre homme, vous l'avez écouté attentivement, vous avez réfléchi aux besoins de son ego et vous avez noté comment il réagit à différents stimuli;
- enfin, très important, vous avez travaillé à augmenter votre capacité d'empathie.

La prochaine étape, c'est *la reprogrammation*. Maintenant que vous connaissez le principe de la satisfaction de l'ego et que

vous avez développé votre capacité d'empathie, il faudra reprogrammer votre façon de penser et vos réactions de manière à
répondre, de façon continue, aux besoins de votre homme — et
aux *vôtres*.

La première idée qui vous vient à l'esprit est peut-être de
préparer une soirée où figureront tous les «éléments nutritifs»
propres à satisfaire l'ego de votre homme: du bœuf à la mode
jusqu'à votre plus joli déshabillé. C'est bien; mais ce n'est pas là
l'essentiel. Ce à quoi vous devez viser maintenant, c'est à satisfaire son ego au jour le jour. Pour ce faire, vous aurez à enregis-
trer tous les changements, émotionnels ou sexuels, qui pourront
survenir chez votre partenaire. Les événements exceptionnels,
tels les week-ends d'amoureux ou les après-midi passés à faire
l'amour dans une chambre d'hôtel, ne manquent certes pas de
charme, mais ce n'est pas sur eux que se bâtit la fidélité. Le
quotidien importe davantage. Donc, ce que vous tenterez de
faire, c'est de reprogrammer votre comportement, votre façon
de penser, pour en arriver à assimiler et à appliquer automatiquement la stratégie de la satisfaction de l'ego.

Pendant que vous observez l'attitude de votre conjoint face
à son travail, aux factures à payer, à un échec ou à sa belle-
famille — de même que devant les joies de la vie de tous les
jours —, plutôt que de vous en tenir à vos réactions habituelles,
essayez de comprendre comment tous ces facteurs jouent sur
les besoins de son ego. Après avoir évalué l'état de son ego,
cherchez une façon simple de répondre au jour le jour à ses
besoins. Ce pourrait être de lui apporter son café au lit le matin,
si c'est cela qui lui fait plaisir et lui donne la sensation d'être
pour vous quelqu'un d'important. Mais cela peut être aussi
quelque chose d'encore plus simple. «Le soir, avant de me
coucher, me raconte une femme, je mets du dentifrice sur sa
brosse à dents. C'est une petite marque d'amour qui lui rappelle
la première nuit que nous avons passée ensemble et où j'avais
fait la même chose.»

L'exemple de mon amie Claire illustre bien comment en
observant l'autre, on peut ensuite reprogrammer ses propres
réactions. Dans son cas, il ne s'agit ni de café ni de jus d'orange.
Claire a choisi une autre façon, très simple celle-là aussi, de
satisfaire l'ego de son amant.

Cette femme d'affaires vit depuis un an et demi avec un
homme merveilleux qui poursuit, lui aussi, une intéressante

carrière. Nous avons eu ensemble d'interminables conversations à propos de ma recherche sur la fidélité. Nous avions abordé, quelques jours plus tôt, le thème de la satisfaction de l'ego, lorsqu'un après-midi elle me téléphona.

«Bernard, me dit-elle, est l'un des deux ou trois hommes les plus intelligents que j'ai rencontrés; et j'en ai connu beaucoup, des gars intelligents. Mais tu me connais, je suis plutôt avare de compliments, et comme pour moi cela ne fait pas de doute, je me suis toujours dit que Bernard sait à quel point je le trouve extraordinaire — sinon pourquoi serais-je avec lui?»

Je n'eus pas le temps de répondre que déjà elle poursuivait.

«Écoute bien ça. Le week-end dernier, nous sommes partis seuls, sans les enfants, loin du travail. À un certain moment, il m'a raconté comment il s'était sorti d'une affaire difficile qui traînait depuis longtemps. «T'es un gars intelligent, que je lui dis. Tu t'es tiré de cette histoire de façon brillante.» Tu ne devineras jamais comment il a réagi.

— Qu'a-t-il dit?

— Sa réaction a été spontanée. «Tu le penses vraiment? m'a-t-il dit. Parce que si c'est ça que tu penses, attention à toi. Je te prends tout de suite, ici même.» Je te laisse imaginer le magnifique après-midi que nous avons eu... Cette expérience m'a fait voir que je commettais une grave erreur en ne lui disant pas à quel point je l'admire et combien je suis fière de lui.»

Encore une fois, me revinrent en mémoire les paroles du docteur Train: «Une femme doit accepter que son conjoint est à la fois un petit garçon, un adolescent et un adulte. Le petit garçon a besoin de savoir qu'elle l'aime et qu'elle prend soin de lui. L'adolescent a besoin de savoir que, sexuellement, il répond à toutes ses attentes. L'homme, enfin, a besoin de savoir qu'elle est fière de lui, qu'elle l'approuve dans tout ce qu'il fait. C'est dans ce continuel rapport nourricier que réside l'essence même du mariage. Si nous restons ensemble, c'est que, mutuellement, nous nourrissons notre ego.»

Ce que Claire a fait, c'est prendre note de la réaction de Bernard à un compliment simple, mais sincère. De là, elle a compris qu'elle venait ainsi d'administrer à son ego une forte dose de vitamine. Les bénéfices qu'elle en a retirés sont nombreux; Bernard s'est senti plus confiant, plus sûr de lui et sexuellement plus fort. L'ego de Claire a donc immédiatement bénéficié d'une plus grande affection et d'une plus grande intimité — sans compter les joyeux ébats de cet après-midi-là. Tout cela grâce à une petite remarque bien placée.

Claire, ce jour-là, a pris conscience que Bernard avait tout simplement besoin qu'elle lui rappelle fréquemment combien elle le trouve extraordinaire. Mais ne le savait-il pas déjà? En fait, Bernard a besoin qu'on lui dise de vive voix, régulièrement, qu'il est le plus merveilleux des hommes, le plus intelligent, le plus séduisant.

Au cours des derniers mois, Claire s'est appliquée à reprogrammer sa façon de voir les choses et son attitude envers Bernard, de façon à mieux répondre à ses besoins. Aujourd'hui, lorsque celui-ci dit ou fait quelque chose qu'elle admire, elle ne manque pas de le souligner. Il ne s'agit pas de le flatter ou de mentir; Claire en serait incapable; c'est une fille honnête qui dit toujours ce qu'elle pense. Elle a tout simplement modifié son comportement de façon à être plus attentive à ce que Bill a besoin d'entendre et à y répondre de façon plus concrète.

«Au début, m'avoua-t-elle, j'ai cru qu'il allait trouver que j'exagérais. «T'es vraiment un gars brillant! T'es extraordinaire!» C'était pour moi tellement évident; j'avais l'impression de me répéter. Mais chaque fois, il réagissait en se montrant plus affectueux, plus attentif à moi. Je dois reconnaître que ton fameux principe de la satisfaction de l'ego, ça rapporte!»

«J'étais sceptique», m'a raconté une femme avec qui j'ai eu une longue conversation à propos de la satisfaction de l'ego, «mais j'ai décidé de tenter l'expérience. Depuis toujours, mon mari joue au golf le samedi et ça l'embête que je ne sois pas à la maison quand il rentre au milieu de l'après-midi. Mais le samedi, pour moi, c'est une grosse journée: je fais des courses pour les enfants et j'organise mon programme de la semaine. Je n'ai donc jamais tenu compte de sa demande.

«J'ai une amie, par contre, qui laisse tout tomber quand son mari rentre à la maison après sa partie de golf. Elle a même déjà poussé l'audace jusqu'à l'accueillir flambant nue, couchée sur une peau d'ours devant le feu de cheminée. Ils filent le parfait bonheur et je sais qu'il lui est parfaitement fidèle, même après quatorze ans de mariage. J'ai donc décidé de prendre exemple sur elle, reconnaissant qu'elle avait trouvé comment répondre aux besoins de son mari.

«Un samedi, après avoir laissé les enfants chez leurs grands-parents, je suis rentrée à la maison et j'ai enfilé le déshabillé affriolant qui dormait depuis des années au fond de mon tiroir. Je me suis dit: on verra bien ce qui va se passer. Mon mari a le sens de l'humour; au pire, nous en serons quittes pour une bonne rigolade. Mais surprise! ma petite mise en scène l'a excité au plus haut point. Surprise encore! J'ai répété le même scénario le samedi suivant, puis la semaine après. Ça marche à tout coup. Il m'a amenée dîner au restaurant. Il m'a même offert du parfum!

«Aujourd'hui, j'ai appris à être beaucoup plus attentive à ce qu'il fait et à ce qu'il ressent; j'observe ses réactions et j'en suis fort bien récompensée. Il est devenu un mari tout ce qu'il y a de plus affectueux et romantique... Bien sûr, il n'en reste pas moins un homme et il demeure rarement indifférent aux rondeurs d'une jolie secrétaire, mais je sais qu'il ne se passera rien, maintenant que je le tiens!»

Alors que faut-il faire pour «tenir» un homme? Voici ce que je vous conseille; c'est très simple:

1. Rappelez-vous que les principaux besoins de son ego sont: sexe, pouvoir et réussite.
2. Choisissez délibérément de satisfaire son ego.
3. Écoutez ce qu'il a à dire, faites preuve d'empathie, reprogrammez votre perception des choses et votre comportement en fonction de ses besoins.
4. Soyez la plus merveilleuse des amantes. (Détails de la marche à suivre dans les prochains chapitres.)
5. Et n'oubliez pas que si vous vous conformez à ce qui précède, les besoins de votre propre ego seront également comblés.

CHAPITRE TREIZE

Les étapes de l'amour

La plupart des thérapeutes et conseillers matrimoniaux que j'ai rencontrés identifient, dans l'évolution de toute relation amoureuse, quatre stades. J'ai donné à ces quatre étapes fondamentales les noms suivants: l'euphorie, le désenchantement, la connaissance de l'autre, l'acceptation de l'autre. Nous les analyserons une à une, en précisant dans chaque cas comment il convient de satisfaire les besoins sexuels et émotionnels de l'ego.

L'euphorie

Vous êtes éperdument amoureux, tous les deux éblouis par ce qui vous arrive; vous faites l'amour comme des dieux et vous passez le week-end au lit; vous avez mille et une choses à vous raconter; ensemble, vous ne voyez pas le temps passer. Vous vous écrivez des mots doux et vous vous faites de petits cadeaux. Vous n'en finissez plus de raconter à vos amis que vous avez trouvé l'être parfait, la perle rare, l'âme sœur. Une avalanche de clichés. Ah! l'amour! la passion! rien de plus beau ne pouvait vous arriver.

Un homme m'a fait une description fort éloquente de cette étape de l'amour et du passage à l'étape suivante: «Plus jeune, il m'arrivait souvent d'être amoureux. Or, je ne crois pas que ce sentiment, du moins au sens où notre culture l'entend généralement, soit quelque chose de très sain. On s'éprend d'une image plutôt que d'une personne. Tout comme le satellite entraîné par la force d'attraction d'une planète, l'un des deux vit aux dépens de l'énergie de l'autre. C'est sa propre image que l'amoureux se plaît à retrouver dans l'autre, non un individu distinct de lui. Je connais bien ce sentiment et j'éprouve un certain malaise chaque fois qu'une femme s'entiche de moi parce que je vais probablement, à un moment donné, la décevoir. L'image qu'elle se fait de moi ne correspond pas nécessairement à la réalité.»

Dans un essai intitulé *De l'amour*, Stendhal décrit un important phénomène qui s'opère à ce stade de la relation, auquel il a donné le nom de cristallisation, d'après un processus observé dans les mines de l'Australie. La cristallisation, de même qu'elle transforme sous terre, par incrustations de sel, une simple branche d'arbre en un objet d'une rare beauté, métamorphose une personne bien ordinaire en l'objet de tous nos désirs.

Selon la chimie du couple, cette euphorie durera quelques jours, quelques semaines, parfois même une année ou plus. Durant cette période, les partenaires se fréquentent assidûment ou, dans certains cas, vivent ensemble. À cette étape, l'ego se tient coi, ses désirs étant en général tous comblés. Considérant qu'il a conquis une femme extraordinaire, l'homme voit son ego satisfait par l'image qu'il se fait d'elle; il vit une expérience sexuelle pleinement réussie: il est comblé. Quant aux besoins fondamentaux de l'ego féminin, ils sont, bien évidemment, satisfaits eux aussi: amoureuse, la femme est comblée par l'affection, la chaleur et l'attention qu'elle prodigue — et reçoit. «Cette période se caractérise, ainsi que le précise un psychothérapeute, par une satisfaction quasi automatique des deux ego, comblés par l'aspect narcissique qui marque le début de toute relation.»

Bien des couples ne dépasseront pas ce stade, intoxiqués par les effets nocifs de cet engouement, changés en statues de sel sous l'effet de la cristallisation. Dès que l'un des deux amoureux laisse voir qu'il est un être réel, différent de la projection que s'en était faite notre imagination ou que nous avaient suggérée nos fantasmes, les problèmes commencent et c'est la fin de la belle histoire d'amour.

Soulignant l'aspect essentiellement narcissique de cette première étape de l'amour, Stendhal remarque que dans la phase euphorique, la réalité, dirait-on, se plaît à se conformer à nos désirs. La deuxième étape, toutefois, cède la place à une autre réalité.

Le désenchantement

C'est au cours de cette deuxième phase de la relation amoureuse que l'autre nous apparaît tel qu'il est, au-delà de la fascination et de l'éblouissement du début. Qui est cet homme? vous demandez-vous alors. Qu'exprime-t-il lorsqu'il laisse un vilain cerne autour de la baignoire? Pourquoi téléphone-t-il à six heures trente pour demander quels sont les projets pour la soirée quand il a été entendu la veille que nous nous rencontrerions au cinéma à sept heures? Et que signifient ces visites hebdomadaires à ses parents lorsque, auparavant, il pouvait passer deux mois sans les voir? Où est passé l'amant romantique, l'homme qui ne manquait jamais de ranger les plats dans le lave-vaisselle aussitôt le repas terminé?

En entrevue, une femme me décrivit ainsi la deuxième étape de l'amour: «J'étais follement amoureuse; Stéphane était l'homme qu'il me fallait: extrêmement intelligent, débordant d'esprit, d'une délicatesse inimaginable — et, en plus de tout cela, merveilleux amant... Nous nous fréquentions assidûment depuis environ un an lorsqu'un soir, il m'a avoué qu'il ne se sentait pas bien quand il dormait avec moi. Mon corps, disait-il, dégageait trop de chaleur. Sa remarque m'a profondément blessée, troublée. Pourquoi ne m'avait-il pas dit cela plus tôt? Au cours des semaines qui ont suivi, nos habituels échanges d'idées à propos de la politique se sont transformés en véritables affrontements. C'est alors que j'ai constaté qu'en bon avocat, il lui fallait absolument imposer son point de vue. Il me rendait furieuse. Lors d'une de ces prises de bec à propos de ce qui me semblait un détail insignifiant, debout au milieu de la cuisine, je me suis tout à coup sentie envahie par un sentiment étrange: qui est cet homme? pensai-je alors. Qu'est-ce que je suis en train de défendre? Devant qui? Qu'est-ce que je fais ici?»

L'euphorie est terminée. La réalité s'installe. Fini le feu d'artifice. Privée de l'éclats des cristaux de sel, la branche a retrouvé son aspect normal. Vous êtes maintenant en face de votre homme tel qu'il est, non plus tel que vous l'imaginiez.

Cette étape de la relation peut ne durer que quelques semaines, ou se poursuivre pendant des mois. Selon certains thérapeutes, elle commencerait dès la première rencontre et ne s'achèverait que deux ans plus tard. À ce stade, la majorité des couples cohabitent. Mais cela n'est pas nécessaire pour atteindre ou traverser cette phase où la désillusion et le désenchantement s'insinuent discrètement dans le couple. Les deux partenaires doivent alors réajuster leur perception de l'autre.

C'est alors que l'ego prend soudain conscience de ses manques. Or, à cette étape, l'intimité n'est pas encore assez grande pour qu'une véritable communication ait pu s'établir, et les besoins de l'ego, si grands, si difficiles à formuler, ne sauraient être perçus par l'autre.

Il s'agit donc d'une phase très dangereuse pour la survie du couple dont les liens sont encore très fragiles. Les ruptures, à ce stade, sont fréquentes, souvent sans causes apparentes.

La connaissance de l'autre

Commentaires typiques de la troisième étape de l'amour: «C'est bien lui, ça! Il ramasse les serviettes mais il est incapable de les mettre dans le panier.» «Il me rend folle! Quand quelque chose le tracasse, il refuse de m'en parler.» «Lorsqu'il est stressé, il a besoin de faire l'amour; il ne peut pas comprendre que moi, dans ces conditions, ça ne m'intéresse pas.» «Le voilà reparti. Ça fait trois fois qu'il la raconte, celle-là. Je le laisse faire; je ne dis rien.»

À ce stade, la plupart des couples vivent ensemble. Déjà, l'un et l'autre partenaire a éprouvé certaines déceptions, ressenti certains malaises. Par contre, maintenant que vous avez abandonné les verres teintés de rose à travers lesquels vous vous obstiniez à voir votre compagnon, vous commencez à comprendre vraiment qui il est, c'est-à-dire un simple être humain, comme vous, avec ses qualités et ses défauts. C'est pendant cette phase que vous identifierez les véritables besoins de son ego — et du vôtre — et que vous apprendrez à les satisfaire en fonction de votre personnalité et de la sienne.

Ici encore, il est difficile de préciser combien de temps durera cette étape. L'exploration de l'autre dans ses multiples dimensions pourra se faire en deux ou trois mois, ou s'étendre sur plus d'un an et demi. Mais retenez bien que c'est de la qualité de l'information recueillie au cours de ces précieux mois que dépend le succès de l'étape suivante, alors que vous serez enfin prêts à créer ensemble une troisième entité: un couple uni et durable.

L'acceptation de l'autre

«Dès notre premier rendez-vous, j'ai clairement vu les bons et les moins bons côtés de sa personnalité. Je n'ai jamais cherché à me le représenter autre qu'il n'est en réalité. Plus que tout, j'avais envie d'être avec lui; mais ce qui a été difficile l'est encore, et le sera probablement toujours, c'est d'accepter et d'endurer ses défauts.» Ces propos d'une femme heureuse, mariée depuis onze ans avec un homme parfaitement fidèle, décrivent bien la quatrième étape de l'amour, que j'ai appelée l'acceptation de l'autre.

C'est la phase de la maturité. Les deux partenaires se reconnaissent et s'acceptent en tant qu'individus. Vous ne percevez plus les serviettes mouillées qui traînent sur le plancher de la salle de bain comme une insulte à ce que vous êtes. Vous tentez constamment, l'un et l'autre, d'entretenir le feu de votre relation en acceptant l'individualité de l'autre et en établissant entre vous une communication basée sur le respect des besoins et des désirs particuliers à chacun. Entre votre indépendance (vous et lui, en tant qu'individus distincts) et votre intimité (vous et lui, unis physiquement et spirituellement), un équilibre se crée. Vous vous acceptez l'un et l'autre tels que vous êtes et tels que vous êtes appelés à évoluer. Vous acceptez également votre relation telle qu'elle est et telle qu'elle est appelée à devenir. En d'autres mots, vous avez tous les deux développé votre capacité de reconnaître et de satisfaire les besoins de l'autre.

Si vous avez atteint ce stade, votre relation durera sans doute longtemps, sans cesser d'évoluer; et si, malgré les hauts et les bas de la vie, les besoins de l'ego — le sien et le vôtre — continuent à être bien identifiés et satisfaits, il est à prévoir que votre union sera marquée du sceau de la fidélité.

CHAPITRE QUATORZE

Les phases critiques

Les chemins de l'amour, comme nous l'avons vu au chapitre précédent, sont tantôt très doux, tantôt sillonnés de profondes ornières, et parfois se transforment en dangereuses montagnes russes. Après un an de vie commune, Christian et moi nous étions engagés dans le difficile passage qui mène de l'*euphorie* au *désenchantement*. Mais là n'était pas la seule difficulté à laquelle nous aurions à faire face à cette étape. Sans le savoir, nous allions devoir traverser, au même moment, la phase critique n° 1.

Débordée de travail, j'étais relativement peu consciente des problèmes auxquels Christian se heurtait à l'époque où il se rendit sur la côte Ouest. Or, pendant que mon attention était prise ailleurs, le double ennemi de l'ego, le stress sexuel et professionnel, avait formé une lame de fond qui allait projeter Christian sur les plages de l'infidélité. Jamais rassasié, l'ego, pour se nourrir, picore toutes les petites miettes qui lui tombent sous le bec; mais il arrive un temps où son estomac réclame un banquet, rien de moins. C'est exactement ce dont Christian avait besoin à cette époque troublée de sa vie.

Ces moments, très dangereux pour le couple, où il suffit de presque rien pour qu'un homme aille chercher dans le lit d'une autre femme la stimulation psychologique dont il a besoin, je les ai appelés les phases critiques.

Première phase critique:
le test d'évaluation

La première phase critique se situe pour à peu près tous les couples dans le périlleux passage entre l'engouement des premiers temps et la naissance de l'intimité, c'est-à-dire au moment même où la relation fragile franchit le cap de l'euphorie et aborde l'étape du désenchantement. À ce moment-là, votre partenaire en est à se demander si ce qu'il éprouve est véritablement de l'amour et s'il doit poursuivre cette relation avec une personne qui ressemble bien plus à un être humain comme les autres qu'à l'idéal qu'il s'en était fait jusque-là. Aux prises avec ces questions, il n'en regarde pas moins autour de lui; il y voit d'autres femmes qui, à ses yeux, n'ont pas encore perdu, elles, le brillant de la passion, et avec lesquelles faire l'amour serait si simple — fini les complications.

À mesure que les rapports se font moins idylliques, plus difficiles, la première phase critique s'intensifie. Dans son ouvrage intitulé *Intimate Partners*, Maggie Scarf analyse bien ce phénomène: «Moins la relation est évaluée en termes positifs, moins les rapports sexuels entre les conjoints sont satisfaisants, plus grand est le risque d'infidélité. Aussi, bien qu'on ne puisse prédire exactement à quel moment surviendra un flirt passager ou une première aventure extraconjugale, on n'en constate pas moins que c'est à l'étape de la désillusion et du désenchantement, alors que domine l'inquiétude et une certaine déception, qu'en général se produit la première infidélité. Non seulement c'est le moment où l'on passe aux actes, mais c'est aussi celui où la trahison semble justifiée.»

«Dans les deux premières années de la relation, la fidélité, en général, ne cause pas de problème», affirme le psychiatre Anthony Pietropinto. La sexualité, explique-t-il, cimente le couple pendant que les partenaires s'explorent mutuellement et qu'ils vivent le passage à la deuxième phase de l'amour, celle-là beaucoup plus cahoteuse.

C'est à ce moment précis que pointe une double menace. À mesure qu'on remet les pieds sur terre, avec ce que cela peut comporter de plus ou moins agréable, les rêves et les fantasmes s'estompent, et très souvent disparaît de la relation sexuelle le charme de la nouveauté.

C'est ici, à la première phase critique, que nous attend le piège de l'infidélité, alors que refont surface les besoins insatisfaits, jusque-là modérés par les remous de la passion, et que ressurgit le désir de gratifications psychosexuelles. L'ego est plus affamé que jamais.

La relation sexuelle prend pendant cette phase un caractère essentiel; elle peut alors constituer le port d'attache auquel l'un et l'autre partenaire peuvent en tout temps revenir, au cours de cette période de questionnement où chacun se demande s'il doit ou non s'engager dans l'étape suivante. Faire l'amour recrée alors l'intimité. Parce qu'il craint d'être pris au piège, se rendant compte tout à coup qu'il devra s'adapter à une nouvelle situation et faire face à sa peur de l'intimité, l'homme a besoin, pendant cette phase difficile, d'énormément de renfort pour soutenir son ego. Il éprouve soudain la nécessité de réaffirmer sa virilité, son pouvoir et son indépendance, et le sexe est une des façons les plus immédiates et les plus efficaces dont il dispose pour y parvenir. En d'autres mots, lorsque survient la première phase critique, l'entente sexuelle à l'intérieur du couple est primordiale.

Sans pour autant minimiser les dangers de cette phase, il importe toutefois de ne pas perdre de vue que la question de la fidélité demeure pour un homme une préoccupation constante qui alimente chez lui, à moins que ne soient satisfaits tous ses besoins émotionnels et sexuels, un éternel conflit intérieur. Vous aurez beau être vigilante et compréhensive et faire preuve des meilleures intentions du monde, il y aura d'autres phases critiques où l'ego exigera un repas de gourmet, à défaut de quoi il ira dîner ailleurs.

D'autres phases critiques

Un stress inhabituel au travail, affectant l'un ou l'autre partenaire, constitue un autre écueil classique. «On aurait pu penser que j'avais bien autre chose en tête à ce moment-là que de courir les jupons», raconte un étudiant en droit qui préparait ses examens du barreau le soir et travaillait à temps plein pendant la journée comme auxiliaire juridique. «J'ai une merveilleuse amie; nous vivons ensemble depuis trois ans. Elle deviendrait folle si elle apprenait que j'ai fait ça avec une autre femme. Mais c'est pourtant ce qui est arrivé. J'étais tellement épuisé, ce soir-là, à la bibliothèque, que je me suis envoyé en l'air avec une compagne de classe qui préparait le même examen que moi. C'était ma façon de me débarrasser de la tension accumulée. Si je ne suis pas rentré à la maison, c'est que ma compagne était trop occupée à rédiger sa thèse. Il y avait quatre jours que nous n'avions pas trouvé le temps de faire l'amour et moi, ça m'en prend plus quand le travail m'accable.»

Un cas extrême, direz-vous, mais qui illustre bien comment un homme peut raisonner. Ce jeune homme avait vingt-quatre ans et, à cet âge, les exigences physiques et émotionnelles d'une énergie sexuelle presque à son summum se font pressantes. Il avait en outre l'occasion de rencontrer un tas de jeunes femmes libres et consentantes, soumises au même stress que lui.

Tous les hommes qui ont été infidèles pendant des périodes tendues de leur vie ne repèrent pas à vue une femme disposée à leur tomber dans les bras. Mais — ainsi que je le soulignais précédemment — ils peuvent rapidement créer des liens affectifs dans leur milieu de travail. Ce sont les fameuses «amours de bureau», conséquence directe de cette phase critique.

La naissance d'un enfant est *le* moment où un homme se sent négligé et rejeté. Un médecin de trente-quatre ans résume en quelques mots la situation. «Ma femme allaitait. Je savais que l'homme, à ce moment-là, peut éprouver un certain sentiment de rejet et, évidemment, je savais que la femme vit alors des changements hormonaux qui diminuent son intérêt pour le sexe. Oui, je me sentais carrément rejeté. J'avais l'impression d'avoir raté quelque chose et je ressentais le besoin d'être confirmé dans ma sexualité. Il fallait qu'une femme reconnaisse en moi le bon gars responsable que j'étais. Je savais que j'avais tort, que j'avais un problème, que je me montrais égoïste et déraisonnable, mais trois mois après la naissance du bébé, j'ai fait l'amour avec une infirmière de l'hôpital.»

À un symposium sur l'amour, la sexualité et le mariage organisé en mars 1988 par le *Ladies' Home Journal*, la sociologue Pepper Schwartz (co-auteure, avec Philip Blumstein, de *American Couples*) nous fit part de sa propre expérience. Alors que les conférenciers venaient de discuter les causes du manque de désir sexuel chez la femme après une naissance, Mme Schwartz déclara: «Moi, j'ai eu de nouveau envie de faire l'amour avec mon mari. Pourquoi? Parce que je ne voulais pas le perdre. Ma tête a été plus forte que mes hormones et j'ai vraiment ressenti un désir sexuel, même si j'allaitais mon premier enfant.»

Deux de mes amis ont eu un enfant il y a quatre mois; pour eux, leur mariage passe avant tout. Les deux ont un emploi très stressant et Diane espère allaiter pendant encore deux mois. Mais dès la deuxième semaine après la naissance de Jérémie, Diane et Michel ont repris leur rituel du «mercredi soir», réservé depuis qu'ils se connaissent à un dîner en tête à tête dans un restaurant tranquille, histoire de s'assurer au moins un moment d'intimité durant la semaine. «Les services de la gardienne sont réservés d'avance, raconte Diane. La seule concession que nous avons faite, c'est de retarder l'heure du départ pour nous adapter à l'horaire encore changeant des boires de Jérémie.»

Ces dîners servent en fait à réalimenter l'ego de Michel. Diane a maintenant beaucoup moins de temps pour répondre aux besoins psychosexuels de son mari, mais celui-ci reçoit quand même, pendant cette phase critique, une attention complète et exclusive qui suffit à le nourrir, même s'il n'a sa femme toute à lui que pendant quelques heures.

Un échec ou un rejet, un choc ou une frustration peuvent également vous plonger dans une phase critique. Rares sont les hommes, ou les femmes, dont l'ego n'est pas atteint par ces épreuves. Certains réagissent mieux que d'autres, mais il n'est jamais facile d'accepter qu'on vous a refusé un emploi, que l'augmentation de salaire que vous croyez mériter ne vous a pas été accordée, que vos idées pour tel ou tel projet n'ont pas été retenues, que vous n'êtes pas dans la course, quelle qu'elle soit. Ce type de traitement a vite fait de vous démonter et de vider votre ego qui pour s'en remettre doit, le plus tôt possible, être de nouveau nourri de façon régulière.

«Le démon de midi? me lança un de mes amis alors que nous discutions des phases critiques, moi, j'ai réglé ça en changeant d'emploi plutôt que de changer de femme.» Un homme de quarante et un ans, qui était encore en pleine réévaluation de sa vie au moment où je l'ai rencontré, décrit ainsi cette étape difficile: «Plus rien n'avait de sens pour moi; j'ai commencé à remettre en question tout ce que je faisais. Moi qui avais toujours été fidèle, il me fallait tout à coup savoir ce que c'était de coucher avec une inconnue. J'étais obsédé par l'idée que je pourrais mourir sans jamais avoir fait l'amour avec une autre femme. Ma femme n'y était pour rien. C'était quelque chose qui se passait en moi.

— Aurait-elle pu intervenir, demandai-je, pour vous empêcher d'aller voir ailleurs?

—Non, absolument pas. Son attitude était en tout point irréprochable. Nous parlions de nos besoins, et elle comblait tous les miens, tant sexuels qu'émotionnels. Mais ce besoin-là, elle ne pouvait pas le satisfaire. Cela n'avait rien à voir avec elle. C'était un problème personnel, *mon* problème.»

Ce que vous venez de lire est la description type de la crise du démon de midi et des méandres de cette quête d'identité. «Qui suis-je maintenant?» Voilà la question qui tourmentait cet homme. Or, les hommes ont pour la plupart l'impression que la solution se trouve dans la sexualité. Ce qui ne devrait pas nous surprendre puisque l'identité masculine, on s'en rappellera, est intimement liée aux rapports sexuels et à l'expression de la sexualité en général. Un homme se définit d'abord par son sexe. Il en résulte que nombre d'hommes, arrivés à cette phase critique, tombent en amour avec une femme plus jeune, divorcent ou prennent une maîtresse, expérimentant différentes formules sexuelles. Ces multiples scénarios ne règlent rien, mais c'est par ce moyen simple et familier qu'ils espèrent trouver qui ils sont et vers quoi ils s'en vont.

À l'homme qui nage en pleine crise du démon de midi, l'épouse ou l'amie ne peut être que d'un secours très limité. Ainsi qu'il a été dit dans le témoignage cité plus haut, *c'est son problème* et il est le seul à pouvoir le régler.

«Parler avec un homme de son désir de faire l'amour avec une autre femme peut, dans certains cas, désamorcer son envie de succomber à l'infidélité, explique un psychothérapeute. En prenant conscience de ce besoin, il arrivera peut-être à retrouver une certaine sérénité qui l'aidera à mieux se comprendre. Mais ce qu'il importe de retenir, c'est que la femme dont le mari a des relations sexuelles extraconjugales pendant cette phase critique doit absolument essayer de ne pas dramatiser la situation et surtout éviter de se considérer responsable de ce qui arrive. Je sais, ces choses-là sont plus faciles à dire qu'à faire, mais si vous tenez à cette relation, vous devez essayer de comprendre ce qui se passe. S'il existe un moment où vous devez comprendre et satisfaire ses besoins, c'est bien celui-là. Or, ce ne sera pas facile.»

Il n'entre pas dans le cadre de ce livre d'analyser en profondeur la crise du démon de midi et les problèmes d'identité et d'infidélité qui peuvent en résulter, mais si votre couple vit actuellement cette phase critique, le meilleur conseil que je puisse vous donner, c'est de consulter un conseiller matrimonial ou un psychothérapeute spécialisé dans les questions de couple.

Le succès! On serait porté à croire que l'homme qui a réussi, que ce soit personnellement ou professionnellement, a nécessairement un ego fort et bien nourri; qu'un homme qui a atteint les buts qu'il s'est fixés a assouvi son besoin fondamental de pouvoir et de conquête. On pourrait aussi penser que l'homme fidèle sera normalement amené à célébrer avec sa femme cette réussite et à partager avec elle les bénéfices qu'il en retirera.

Détrompez-vous. Dans bien des cas, la réalité est tout autre.

Je ne fais pas allusion ici au succès à court terme — remporter un tournoi de golf, présenter une brillante plaidoirie. C'est la réussite qui a nécessité beaucoup de temps et d'efforts qui, ironiquement, peut conduire à l'infidélité. L'homme qui vient d'obtenir une nomination, de gagner une élection, de remporter une médaille ou qui atteint enfin la reconnaissance qu'il espérait depuis des années ira, dans bien des cas, vers une autre femme, sinon vers plusieurs, pour célébrer sa victoire. Pourquoi en est-il ainsi?

Cette fois encore, c'est du côté de l'ego qu'il faut chercher la réponse. «Ai-je mérité cette récompense? se demande l'ego. Pourquoi moi?» «Dieu que c'était bon! J'en veux encore.» «J'ai obtenu ce que je voulais, oui; mais je suis inquiet... Serais-je capable de répéter cette victoire?»

Un homme qui était resté fidèle à sa femme pendant toutes les années où il avait gravi un à un les échelons d'une firme d'experts-conseil me raconta ce qui suit: «Mes valeurs ont toujours été: travail, morale et fidélité. Je me considérais heureux en ménage. Pendant onze ans, j'ai travaillé en vue de fonder ma propre entreprise afin que Josée et moi puissions mener la vie dont nous rêvions. Nous allions enfin voyager, aller au théâtre, visiter les musées, faire ensemble toutes ces choses pour lesquelles nous n'avions jamais eu de temps.

«Mes affaires m'ont toujours amené à voyager beaucoup et, pendant dix ans, pas une fois je n'ai trompé ma femme; pourtant, ce ne sont pas les occasions qui ont manqué. Ce n'est qu'après ma réussite, après avoir ouvert mon propre bureau, que je me suis mis à courir les filles. Pourquoi? Eh bien, parce que la pression et la compétition étaient telles qu'à tout moment je craignais de couler à pic.

«Ma femme n'a pas compris alors ce que je vivais; mais Kim, une collègue, comprenait très bien, elle. Elle m'écoutait lui raconter mes problèmes, puis me rassurait en me disant que je m'en sortirais toujours. Je n'en étais pas si sûr, mais mieux valait entendre cela que les plaintes de ma femme qui me reprochait de ne pas lui offrir la vie promise. Sans avoir jamais eu l'intention de tromper mon épouse, je me suis retrouvé avec Kim pendant que Josée était partie seule en vacances. Nous avions prévu de faire ce voyage ensemble, mais une crise au bureau m'avait empêché de l'accompagner. Josée n'a pas compris; Kim, elle, a compris.»

Josée n'avait pas vu que son mari, qui avait enfin atteint l'objectif auquel il travaillait depuis si longtemps, faisait maintenant face à ce qui pouvait se révéler une phase critique. Elle-même avait tant travaillé avec lui pour atteindre ce succès qu'elle n'en avait pas prévu les retombées, soit une augmentation des besoins psychosexuels de son mari qui assumait maintenant, à son travail, des responsabilités beaucoup plus grandes.

Toute relation amoureuse traverse de nombreuses phases critiques; celles que nous venons d'étudier sont les plus évidentes. Mais le couple vivra d'autres moments de tension, peut-être moins flagrants, mais qui n'en sont pas moins dangereux. Il importe donc que vous sachiez percevoir chez votre partenaire ces périodes difficiles où l'ego éprouve tout à coup une faim de loup et exige plus que sa ration habituelle.

Il existe heureusement trois signaux d'alarme qui annoncent l'arrivée prochaine d'une phase critique. Les voici.

• Des rapports sexuels moins fréquents

Supposons que vous fassiez l'amour deux ou trois fois par semaine, ou une fois par mois, peu importe. Soudain le rythme change; ou bien c'est vous qui avez toujours la migraine, ou bien c'est lui qui s'endort tous les soirs dès qu'il met la tête sur l'oreiller. Signal d'alarme. Prenez alors la peine d'observer ce qui se passe dans les autres domaines de votre vie. Seriez-vous soumis, à votre travail, l'un ou l'autre — ou les deux —, à un stress particulier? Comment les choses se sont-elles passées les dernières fois où vous avez fait l'amour? Se pourrait-il qu'il ait des problèmes d'impuissance dont il n'ose pas vous parler?

La fréquence des rapports sexuels dans un mariage n'est pas constante. Les études montrent une certaine diminution de cette fréquence après deux ou trois ans, baisse considérée comme normale si *les deux partenaires* demeurent satisfaits. Pour certains, la norme sera d'une fois par mois, pour d'autres, deux fois par jour; rythme qui variera d'ailleurs selon les hauts et les bas de la relation. Ce dont il faut se méfier, c'est d'une baisse soudaine de la fréquence des rapports sexuels que rien, à première vue, ne semble justifier.

• Des rapports sexuels moins intenses

Si, après avoir vécu une époque de parfaite harmonie où l'échange sexuel constituait un moment de véritable intimité physique et émotionnelle, vous sentez maintenant que les gestes ont perdu de leur profondeur, c'est que vos rapports sexuels sont moins intenses. Comme la fréquence, la qualité et l'intensité des rapports sexuels peuvent varier; il est normal d'avoir parfois envie de passer tout un après-midi à faire l'amour, comme on peut, à d'autres moments, avoir envie de faire cela en cinq minutes; là n'est pas l'important. En revanche, si vos rapports ne sont plus qu'une routine superficielle ou si vous sentez que votre partenaire n'est jamais vraiment là, alors méfiez-vous. Si vous êtes, l'un ou l'autre, sans cesse préoccupé par les factures à payer et ne faites plus l'amour que par habitude, il se peut que vous soyez au bord d'une phase critique.

• Une baisse d'intérêt pour la relation

Si, petit à petit, vous en êtes venus à vous tenir l'un et l'autre pour acquis, c'est que vous accordez de moins en moins d'importance à votre relation. En d'autres mots, si l'harmonie de votre relation n'est pas pour vous une priorité, si vous ne consacrez pas d'efforts à la maintenir, très vite, vous ne saurez plus où vous en êtes, ni dans vos rapports sexuels ni dans ses rapports sentimentaux. Si vous êtes moins intéressés à passer du temps ensemble ou si vous ne faites pas l'effort, malgré le travail et les exigences familiales, de trouver des moments pour être seuls, les problèmes ne sauraient tarder.

Un nouvel emploi, la naissance d'un enfant, de nouvelles responsabilités, la mort d'un parent constituent autant de situa-

tions bien réelles et parfois difficiles à vivre qui peuvent siphon-
ner les énergies jusque-là consacrées au maintien d'une relation
stable et satisfaisante et, petit à petit, émousser l'importance que
vous accordiez à celle-ci. Si, pour quelque raison que ce soit,
vous avez pris l'habitude de prolonger vos journées de travail
ou si vous accordez moins d'attention à ce qui se passe entre
vous deux, c'est que vous allez bientôt vivre une phase critique.

L'apparition d'un de ces trois signaux d'alarme: des
rapports sexuels moins fréquents, ou moins intenses, et une
baisse d'intérêt pour votre relation, devrait tout de suite vous
mettre sur vos gardes. Ils sont le signe que quelque chose ne va
pas, que l'ego a besoin d'être nourri, que certains besoins
psychosexuels n'ont pas été satisfaits.

Une dernière remarque

Encore un mot au sujet des besoins: ils changent.

Bien que toujours présents, les besoins de l'ego en matière
de sexe, de pouvoir, de réussite et d'estime de soi n'exigent pas
toujours le même degré de satisfaction, ainsi que nous venons
de le constater dans notre analyse des phases critiques. Mais il y
a plus: les besoins individuels peuvent aussi changer.

Il se peut, par exemple, qu'un homme qui ne s'est jamais
soucié de son apparence ou de l'effet qu'il produit sur les
femmes ait tout à coup besoin qu'on lui dise combien il est
séduisant, parce que peu à peu il s'est mis à perdre ses cheveux
et à prendre du ventre.

Autre exemple, à un niveau, celui-là, plus profond. Un
homme qui a toujours pris l'initiative dans les rapports sexuels
peut, à un certain moment, avoir envie de jouer un rôle plus
passif, de se laisser dorloter. Devant ce changement de comportement, sa compagne adoptera, elle, une attitude plus active
qu'auparavant, fera elle-même les avances, suggérera qu'ils
partagent leurs fantasmes. Usant de son pouvoir d'empathie et
observant attentivement l'ego de son conjoint, cette femme
constatera que celui-ci a modifié sa vision des choses; elle pourra alors adapter son propre comportement aux nouveaux
besoins de son partenaire.

Les phases critiques — tout comme les étapes de l'amour —
sont des passages difficiles à vivre. Mais la façon la meilleure et

la plus sûre d'en diminuer les dangers, c'est de veiller à la parfaite stabilité de votre vie sexuelle. L'intimité sexuelle, tant physique qu'émotionnelle, sera votre assurance tous risques dans ces moments où l'ego est fragile et tendu. «Il n'y a pas de meilleur remède que l'amour — ou faire l'amour — pour guérir un ego souffrant», m'a affirmé un conseiller spirituel. Je suis tout à fait d'accord avec lui.

CHAPITRE QUINZE

Comment satisfaire un homme sur le plan sexuel

Pour être capable de répondre aux besoins psychiques de l'autre, et en particulier à ses besoins émotionnels, il faut d'abord avoir acquis une bonne connaissance de l'âme humaine et pouvoir faire preuve d'une certaine empathie; il faut aussi se montrer sensible à l'autre et être prêt à reprogrammer quelques-uns de ses propres comportements. Les exigences demeurent les mêmes quand il s'agit de répondre aux besoins sexuels de son partenaire. «Avez-vous l'impression, ai-je demandé aux hommes, que votre femme, ou votre compagne, vous satisfait sur le plan sexuel?» Fidèles ou pas, tous ont répondu que, sous différents aspects essentiels, leur relation était loin d'être satisfaisante.

Sauriez-vous me nommer, rapidement, sans réfléchir, les trois choses qui excitent le plus votre homme quand vous faites l'amour?... Vous devriez pouvoir répondre à cette question aussi vite que si je vous demandais de réciter l'alphabet. Mais nombre d'entre nous en sommes incapables. Nous savons très bien ce que notre mari a envie de manger pour dîner, mais nous sommes loin de posséder une aussi bonne connaissance de ses appétits sexuels. Il est pourtant clair que nous nous exposons à de très graves problèmes en ne répondant pas à ces besoins.

J'avoue que je fus très surprise d'entendre, à l'orée des années quatre-vingt-dix, tant d'hommes me répéter que les femmes ne connaissaient pas vraiment leurs besoins sexuels. Les livres, la radio, la télévision ne nous renseignent-ils pas abondamment sur le sujet?

Que faire alors? Voici ce que les hommes ont répondu à cette question.

• Découvrez ses préférences

Le principal reproche que les hommes font aux femmes, c'est de ne pas suffisamment chercher à découvrir ce qui leur plaît quand ils font l'amour.

«Mais je sais très bien ce qu'il préfère», serez-vous peut-être tentée de répondre, «ce sont les relations orales». Ou encore: «Il aime bien quand je lui caresse les mamelons.» Bon, d'accord. Mais si vous n'êtes pas capable d'énumérer spontanément, dans l'ordre, les trois choses qui l'excitent le plus, c'est que vous ne le connaissez pas vraiment. Et pourquoi les femmes ne connaissent-elles pas les besoins de leur homme? Tout simplement parce qu'elles ne leur ont jamais demandé quelles étaient leurs préférences.

«C'est trop tard», me dit Margot, une femme que j'ai rencontrée à Chicago. «Nous sommes mariés depuis six ans. Sexuellement, ça va plutôt bien. Oh, ça n'est pas le Pérou, mais je me sentirais vraiment trop mal à l'aise d'aborder le sujet avec mon mari. Lui aussi, d'ailleurs.»

Son mari, en fait, s'était senti frustré sexuellement, en particulier après la naissance de leur premier enfant. Depuis quatre ans, il couchait avec d'autres femmes. «Je l'aime, me dit-il lors d'une entrevue téléphonique, mais elle n'éprouve aucun intérêt pour le sexe. Je crois sincèrement que ce sont mes brèves aventures qui, en fin de compte, assurent l'équilibre de notre mariage. Les rapports sexuels que j'ai avec Margot ne me suffisent absolument pas et en parler ne servirait à rien.» Pour découvrir ce qui manquait à Julien, Margot n'aurait pas eu besoin de faire une longue enquête ni même de se lancer avec lui dans une conversation à n'en plus finir. Il lui aurait suffi, pour réparer cet accroc à leur relation, de poser à son mari deux questions. Mais avant d'en venir à ces questions, une mise en garde.

Évitez les formules du genre: Qu'est-ce que tu aimes? Qu'est-ce qui t'excite?

Il répondra probablement: «Tout m'excite.» Et vous ne serez pas plus avancée. Or, côté sexualité, il faut viser la précision. Osons la comparaison suivante: vous savez qu'il aime les pâtes, bon; mais que préfère-t-il? Les spaghetti ou les fettucine? Alfredo ou carbonara? Voilà le type de renseignements qu'il vous faut pour lui préparer un repas vraiment à son goût.

Cela dit, revenons à nos deux questions. Que vous soyez mariés depuis six ans ou que vous veniez tout juste de vous rencontrer, il est deux petites phrases qui ont le pouvoir de susciter exactement la réponse dont vous avez besoin:

- Que préfères-tu, comme ça ou comme ça?
- Tu aimes ça? Comment te sens-tu?

En lui proposant un choix, vous lui facilitez les choses et lui permettez de répondre par un simple oui ou non. Inutile d'essayer de tout savoir en même temps. Petit à petit, vous en apprendrez davantage — telle position plutôt que telle autre, ici plutôt que là, plus doucement, plus fort, j'aime, je n'aime pas. Ne vous attendez pas à tout découvrir en une seule séance. Vous vous dites timide en amour? Pas très à l'aise quand il est question de sexe? Vous verrez, la technique du «oui ou non» est on ne peut plus simple et vous permettra de découvrir ses préférences les plus secrètes. Une fois en possession de ces précieux renseignements, vous avez tout ce qu'il faut pour devenir une meilleure amante et une partenaire plus attentive, peu importe le nombre d'années que vous avez passées ensemble.

- Ne boudez pas la technique

«Une femme peut avoir les meilleures intentions — et le plus beau corps — du monde, si elle n'est pas douée, si elle ne sait pas s'y prendre, il lui manque quelque chose», admet candidement un de mes amis.

Dans chacun des trois livres que j'ai publiés à propos de l'amour, de la sexualité et des relations amoureuses, j'ai insisté sur l'importance de la technique. J'y reviens encore une fois. On ne naît pas en sachant faire l'amour; il ne faut pas confondre sexe et instinct de reproduction. L'art de faire l'amour va bien au-delà de la reproduction et de l'instinct sexuel; c'est un art qui englobe aussi nos émotions, toute notre sensualité, et qui repose, pour une grande part, sur une technique heureusement très facile à maîtriser. Il est aujourd'hui plus important que jamais de savoir comment faire l'amour, étant donné que les hommes ont beaucoup plus de possibilités de rencontrer d'autres femmes et qu'ils ont vécu avant de nous connaître d'autres expériences qui leur ont permis de vérifier ce qui leur plaît et ce qui leur déplaît.

L'apprentissage de l'amour répond aux mêmes règles que celui de tout exercice physique. Vous aurez beau passer des heures au gymnase, à suer et à souffler comme si vous vous entraîniez en vue des prochains Jeux olympiques, si vous n'exécutez pas chaque mouvement correctement, votre corps n'en tirera aucun bénéfice. En revanche, si un bon entraîneur vous explique que, pour lever un poids, il ne faut pas barrer l'épaule, mais l'incliner légèrement, vous obtiendrez rapidement de bien meilleurs résultats.

En sexualité non plus, tout ne vient pas naturellement. L'art de l'amour, ça s'apprend. Pour vérifier l'état de vos progrès, vous pouvez, encore une fois, avoir recours au test du «oui ou non». Ou encore vous pouvez gentiment demander: *«Montre-moi comment faire, s'il te plaît.»*

«L'expérience sexuelle dont je garde le meilleur souvenir, me raconta un de mes interviewés, je l'ai vécue avec une femme qui s'y connaissait bougrement bien en matière de sexe. On voyait qu'elle avait de l'expérience; elle savait caresser là où il fallait, quand il fallait. Mais elle n'avait pas seulement appris à toucher, elle savait aussi être charmante. «Montre-moi comment faire, s'il te plaît», m'a-t-elle dit la deuxième fois qu'on a couché ensemble. Cette fois-là, j'ai joui comme jamais.»

Deux points importants pour développer un savoir-faire à toute épreuve:

• Premièrement, apprenez à reconnaître ce qui lui plaît vraiment.
• Deuxièmement, gardez toujours présente à l'esprit la règle d'or de l'art de faire l'amour: Ce qu'il aime qu'on lui fasse ne correspond pas nécessairement à ce que vous aimeriez qu'il vous fît. Vos corps sont différents; vous n'avez pas la même musculature; votre rythme n'est pas le même; vos désirs ne sont pas les mêmes. Il lui faut une pression plus forte partout

sur son corps, y compris sur les parties génitales, tandis que vous appréciez un toucher plus léger; vous aimez qu'il caresse doucement et longuement votre clitoris, tandis qu'il réagit rapidement à une pression plus ferme sur son pénis.

Grâce à cette règle d'or, vous vous souviendrez que ce n'est pas parce que vous aimez qu'on embrasse vos oreilles qu'il veut nécessairement, lui aussi, qu'on les lui mordille. Si vous aimez qu'on masse vos seins et qu'on les caresse, peut-être, de son côté, préfère-t-il qu'on pince délicatement ses mamelons. Et ne croyez pas, parce que vous défaillez quand un homme vous suce les orteils, qu'ils apprécient tous que vous leur rendiez la pareille.

Retenez enfin que si la technique s'avère un précieux atout à toutes les étapes de la relation sexuelle, *elle est indispensable* quand il s'agit de relations orales. Or, bien que la plupart des hommes placent ce type de rapport en tête de liste de leurs préférences sexuelles, ils sont réticents à dire à une femme qu'elle ne sait pas s'y prendre. Pour satisfaire un homme, toute femme devra donc avoir acquis un certain degré d'habileté technique — et maîtriser les subtilités de la relation orale.

• Ne sous-estimez pas l'importance de la relation orale

«Pourquoi, m'ont demandé nombre de femmes, accordent-ils tant d'importance aux relations orales?» À cela, les hommes répondent que même s'ils prennent grand plaisir aux relations génitales, ils apprécient tout particulièrement la relation orale parce que celle-ci concentre le plaisir sur la partie la plus sensible de leur corps.

Mais ce qu'il est peut-être encore plus important de savoir, c'est que l'homme voit dans la relation orale une confirmation de sa virilité et qu'en faisant l'amour à son pénis, symbole de cette virilité, vous répondez à un de ses besoins les plus profonds. (Et en montrant à votre homme que vous l'aimez vraiment et que vous aimez son pénis, vous comblez également un de vos besoins les plus fondamentaux.)

«Dites bien aux femmes, précise un homme que j'ai intervie-wé, que la meilleure façon de montrer qu'elles prennent plaisir à la relation orale, c'est d'agir en douceur et avec dextérité, en prenant bien leur temps. De nos jours, les femmes se sentent obligées d'avoir des relations orales parce qu'elles croient que c'est à cela que nous nous attendons. En fait, ce n'est pas que les hommes s'attendent à cela, c'est qu'ils en veulent.

«On sent tout de suite, poursuit cet homme, si une femme le fait par plaisir ou pas. Sans compter que le plaisir qu'elle-même y prend compte pour une grande part dans celui que l'homme en retire.»

• Sachez le surprendre

«Découvrez d'abord ce qui lui plaît, puis faites-le et refaites-le chaque fois», affirme sans détour un directeur du personnel à qui je demandais quelle recommandation il ferait aux femmes en matière de sexualité. Tous les hommes à qui j'ai fait part de cette opinion m'ont confirmé que c'était là, en effet, le premier conseil à donner. «Dans bien des cas, précise un chef d'entreprise, la femme sait très bien ce qui excite son partenaire, mais elle ne le fait pas.»

On peut supposer que ce comportement est dû à la crainte d'ennuyer son compagnon en répétant toujours les mêmes gestes. «Aucun danger, assure cet homme, si c'est vraiment ce qui l'excite.»

«Les relations orales, je ne m'en fatiguerai jamais, dit un autre. C'est la cerise sur le gâteau. Je ne peux pas m'en passer. J'adore faire l'amour dans toutes les positions, mais il me faut aussi, chaque fois, une petite pipe.»

Si on en croit ces témoignages, vous pouvez donc, une fois que vous connaissez les préférences de votre partenaire, y avoir recours aussi souvent que vous le voudrez; il n'y verra aucun inconvénient, au contraire. Seule une femme qui n'est pas au fait des mécanismes psychosexuels du plaisir s'inquiète de ce que son mari redemande toujours la même chose.

Mais méfiez-vous tout de même. La répétition ne doit pas engendrer la routine, mère de l'ennui, ennemi mortel de l'amour et cause première de la baisse du désir.

Par exemple: sachant qu'il aime par-dessus tout les relations orales, vous commencez par cela chaque fois que vous faites l'amour. Or, voilà exactement ce qu'il ne faut pas faire; quand tout devient prévisible, on a vite fait de s'ennuyer. S'il ne jure que par la position du missionnaire ou qu'il éprouve un plaisir particulier à ce que vous soyez sur lui, refaites-le chaque fois, mais combinez cette technique à d'autres pour éviter que la routine ne s'installe.

Puis vient le temps de le surprendre. Après avoir amoureusement dévoré son pénis chaque fois que vous faites l'amour, changez brusquement d'attitude et abstenez-vous de le faire deux ou trois fois de suite.

Ce stratagème repose sur une théorie éprouvée. La psychologue Ellen Bersheid, dans un ouvrage intitulé *Close Relationships,* pose comme principe que l'émotion ne peut être provoquée que par l'interruption d'un rapport stéréotypé entre les deux partenaires. On déduira donc de cette hypothèse que les amants doivent faire l'expérience de brèves périodes de sevrage, de manière à retrouver ensuite toute la fraîcheur de leurs émotions.

Imaginez que, chaque fois que vous faites l'amour, vous répétez une caresse qui lui plaît et que, tout à coup, deux ou trois fois de suite, vous l'en privez. Il réagira, c'est certain. Le fait que vous ayez modifié sans crier gare votre comportement habituel l'obligera, lui aussi, à réagir différemment. Peu importe, d'ailleurs, comment se manifestera cette réaction — surprise, légère contrariété, supplications: «Ne me fais pas ce coup-là!» —, l'important c'est qu'en rompant avec vos habitudes vous fassiez échec à l'insidieux démon de l'ennui.

Kenneth Livingston, lui aussi chercheur et clinicien, aborde le problème de la même façon. Dans un livre intitulé *Love and Loving,* il décrit l'amour comme un processus de «réduction des incertitudes». Livingston explique que l'amour et la passion — ainsi que la sexualité — exigent une certaine dose de mystère. Il est bon qu'on ne sache pas toujours exactement quand et comment les choses vont se passer. Ce qui expliquerait d'ailleurs le secret dont se sont toujours entourés les grands séducteurs, les courtisanes et les geishas.

«Ma femme a sa propre chambre, m'explique un homme. Je vais chez elle, et elle vient chez moi. Avec Jeanne, je ne sais jamais exactement comment les choses vont se passer. Après quatorze ans de mariage, elle réussit encore à me surprendre. C'est une partenaire extraordinaire.» Jeanne est sa seconde épouse; il ne l'a jamais trompée. Son premier mariage, au contraire, avait été fort tumultueux.

• Explorez ses fantasmes

Toute personne jouissant d'une saine sexualité nourrit des fantasmes. Certaines rêvent du prince charmant; d'autres portent des dessous «cochons». Les fantasmes ont pour seules limites celles de votre imagination et sont intimement liés, selon moi, aux besoins de votre ego.

Imaginons par exemple que j'entretienne le fantasme de faire l'amour avec un superbe étranger. Ce rêve me donne le sentiment d'être désirable et séduisante; il réaffirme mon besoin d'aimer et d'être aimée: mon ego se sent bien.

Quand deux personnes partagent leurs fantasmes, que ce soit dans les faits ou tout simplement en en parlant, ils satisfont aussi les besoins physiques et psychiques de leur ego. Satisfaire un homme sexuellement, cela veut aussi dire explorer avec lui l'univers de ses fantasmes et des vôtres. Or, non seulement ce partage sert-il à satisfaire l'ego, mais il constitue également une excellente façon d'approfondir votre intimité. C'est un des aspects les plus excitants et les plus libérateurs de l'art d'aimer.

Ce qu'il importe de se rappeler, c'est que *découvrir les fantasmes de l'autre et les partager n'oblige pas à les mettre en pratique.* «Les fantasmes ne devraient être concrétisés, précise un thérapeute, qu'à la condition expresse que chacun des deux partenaires soit absolument d'accord avec ce qui va se passer et qu'il ait une totale confiance en l'autre. La réalisation d'un fantasme doit engendrer un plaisir partagé. J'insiste sur le fait qu'un tel voyage dans l'univers des fantasmes suppose que le couple atteint un degré de communication très élevé et qu'il s'est établi entre les partenaires une confiance absolue.»

• Laissez-lui savoir qu'il est le meilleur amant du monde

Après avoir lu les chapitres précédents, vous comprenez maintenant qu'en faisant savoir à votre homme qu'il est un amant hors pair, vous satisfaites un besoin fondamental de son ego: le besoin de se sentir viril, fort et puissant. «Si votre conjoint demande toujours: «C'était bon?», «Tu as aimé ça?», explique un sexologue californien, c'est qu'il prend plaisir à ce que vous lui confirmiez ses dons d'amant.»

«C'est un fait», reconnaît, avec un sourire, un consultant en informatique. «Si j'ai réellement l'impression que je l'excite, si elle me dit que je l'envoie au ciel, j'aurai bonne opinion de moi — et elle aussi me paraîtra extraordinaire.»

Quand une femme dit à un homme — avec des mots ou autrement — qu'il lui donne du plaisir, elle lui signifie en même temps l'importance qu'elle accorde à l'aspect sexuel de sa vie. «Si vous me demandez comment une femme peut satisfaire un homme sur le plan sexuel, explique un dessinateur industriel marié depuis huit ans et fidèle à sa femme, je vous dirai que c'est d'abord en lui laissant savoir que le sexe est quelque chose de très important pour elle. Je vis avec une femme très sexy, bien dans sa peau. Elle aime mon corps et elle me le dit. Pourtant je n'ai rien d'un Adonis.»

Il ne s'agit pas de vous exclamer, chaque fois que vous rencontrez un homme, que, pour vous, le sexe, il n'y a que ça. C'est plutôt par le choix de vos vêtements, par votre façon de le toucher, de le regarder, que vous lui exprimerez votre intérêt et l'importance que vous accordez à l'aspect sexuel de l'amour.

Un homme raconte: «Récemment, j'ai rencontré deux femmes. Il m'a paru que la première privilégiait avant tout sa carrière. Nous avons fait l'amour, mais je n'ai pas senti que c'était une femme très intéressée au sexe. L'autre est beaucoup moins belle, mais elle sait s'y prendre avec les hommes. Rondelette, mais bien moulée, elle porte des robes de tricot qui me donnent envie de la caresser partout. Au bureau, m'a-t-elle dit, elle s'en tient à la jupe et à la veste (elle est avocate); mais le soir, elle aime bien enfiler quelque chose de plus seyant. C'est une façon habile de me signifier qu'elle a envie de m'exciter et que je suis plus important à ses yeux que ses collègues de travail.»

Comment satisfaire un homme sur le plan sexuel? Voici un petit catéchisme en six points qui résume tout ce qui a été dit dans ce chapitre:

• Découvrez ses préférences.

• Maîtrisez la technique.

• Les hommes accordent une grande importance aux relations orales. Là encore, maîtrisez la technique et prenez tout votre temps.

- Répétez les gestes qu'il aime chaque fois que vous faites l'amour; puis changez subitement de comportement. Réaction garantie.

- Partagez ses fantasmes et faites-lui part des vôtres.

- Faites de la sexualité une de vos priorités et répétez-lui souvent qu'il est le meilleur de tous les amants.

CHAPITRE SEIZE

Six «erreurs»
qu'on nous reproche

«La plupart des femmes commettent six erreurs», me lança un homme alors que nous étions en grande conversation sur la façon de satisfaire un homme sexuellement.

«Bien sûr, ce sont encore une fois les femmes qui sont à blâmer, rétorquai-je plutôt vivement. Combien d'hommes peuvent se vanter d'être les meilleurs amants au monde?

— Je ne dispose pas d'information de première main à ce sujet, dit-il en riant. Peut-être serait-il plus juste de dire que les femmes entretiennent certains malentendus à propos du sexe.

— Cela, je l'accepte.»

Quand il est question du comportement sexuel des femmes, les hommes ont des remarques du genre: «Les femmes ne comprennent rien au sexe», «Ça ne les intéresse pas», « Amour et sexe, pour elles, c'est la même chose», «Elles sont trop passives»; ou encore, comme celui dont je viens de citer les propos, ils diront que les femmes commettent des erreurs.

Or, me suis-je dit ce jour-là, si les hommes sont sincères quand ils disent que les femmes commettent des erreurs, c'est qu'il y a encore quelque chose qui n'est pas clair pour nous quant aux besoins fondamentaux de leur ego. Il me fallait poursuivre mon enquête encore plus loin.

Je me fis donc un devoir d'amener les hommes que je rencontrai, fidèles ou infidèles, à préciser quelles étaient selon eux ces erreurs. «Que nous faut-il encore savoir, nous les femmes, leur demandai-je, pour nous assurer la fidélité d'un homme?» Voici ce que j'obtins d'eux.

Le manque de disponibilité

Le manque de temps, voilà selon la plupart des hommes (et des femmes) la principale pierre d'achoppement à l'harmonie des relations sexuelles.

Le temps, nous le savons trop bien, est une denrée rare que, si nous n'y prenons garde, les enfants, le travail, les factures à payer ont tôt fait de bouffer complètement. Or, tous les spécialistes le reconnaissent, pour vivre une relation saine, le couple doit absolument se réserver du temps pour faire l'amour.

«Avant notre mariage, elle laissait tomber le torchon à vaisselle dès que je lui tapotais les fesses. Aujourd'hui, je ne la touche même plus. J'attends que les dieux soient en ma faveur et, avec le temps, je me dessèche. Elle n'a plus de temps pour moi.» Ce témoignage d'un professeur, je l'ai entendu dans la bouche de nombre d'autres hommes.

Le syndrome du torchon à vaisselle n'est pas nouveau et a déjà fait couler beaucoup d'encre. J'en ai traité moi-même dans d'autres ouvrages. Mais ce qui me surprend, c'est qu'il soit encore aujourd'hui d'une aussi cuisante actualité. Combien d'hommes m'ont dit qu'avant leur mariage, leur femme aurait interrompu n'importe quelle activité pour faire l'amour. Puis, tout à coup, aussitôt la noce terminée, fini la belle spontanéité.

«Elle était sans cesse en état de manque. Si nous avions des invités à dîner, nous nous précipitions dans la chambre à coucher ou nous nous étreignions sauvagement sur le canapé dès qu'ils avaient franchi le seuil de la maison.» Nostalgique, cet homme se souvient aussi que ses élans sexuels tiédirent quand il constata que, peu à peu, la vaisselle prenait plus d'importance que lui. Or, il faut voir dans de tels propos, desquels émanent un certain ressentiment, un prélude à l'infidélité, et se rappeler alors que la solution à ce déséquilibre, c'est la disponibilité.

Mais s'il importe de trouver le temps de faire l'amour, il est essentiel aussi de savoir *prendre son temps*. Les hommes me l'ont dit et redit: les meilleures amantes sont celles qui savent prendre leur temps.

Paradoxalement, ce sont habituellement les femmes qui déplorent que les hommes font toujours les choses trop vite. Mais les hommes ne sont pas contents non plus. Écoutons le témoignage d'un homme qui tomba amoureux d'une collègue de travail et quitta sa femme pour l'épouser. «Quand elle suçait mon pénis, on aurait dit qu'elle voulait prolonger le plaisir indéfiniment. Venait alors un moment où j'avais envie de la pénétrer, mais elle m'en empêchait, ce qui ne faisait qu'augmenter mon plaisir. Finalement, nous atteignions l'orgasme ensemble, mais elle avait pris tout son temps parce qu'elle savait à quel point cela me rendait fou.» Cet homme poursuit en parlant, cette fois, de son mariage. «Même si ma femme et moi faisions souvent l'amour, j'avais toujours eu l'impression qu'elle était pressée d'en finir. Je lui ai fait part de mon malaise, mais il ne semble pas que j'aie réussi à la convaincre que le sexe était un élément important de ma personnalité. Entre nous, c'était devenu une obligation parmi d'autres. On aurait dit que nous avions parié sur qui allait atteindre l'orgasme le premier. Il était donc naturel que j'aille chercher ailleurs quelqu'un avec qui je pourrais faire l'amour tranquillement, sans me presser.»

La passivité

Si le manque de disponibilité est l'une des principales erreurs dont les hommes nous font grief, la passivité est un comportement dont nombre d'entre eux se plaignent également. «Des cent femmes et plus avec lesquelles j'ai fait l'amour, raconte un homme exceptionnellement séduisant, seulement six ou sept m'ont laissé le souvenir d'être de bonnes partenaires sexuelles.»

Leur secret? Elles bougeaient. Ces femmes, en d'autres mots, savaient quand et comment être actives. «On a tort de penser que tout cela est de l'histoire ancienne, poursuit cet homme. Aujourd'hui encore, les femmes s'attendent à ce que ce soit l'homme qui fasse les avances. Je n'ai rien contre cette idée, mais je suis aussi pour un certain partage des tâches. Si vous voulez des chiffres, je dirais que les femmes devraient, dans l'ensemble, endosser au moins 40 p. 100 de l'initiative.»

«Les femmes ont parfois l'impression, explique un autre homme, qu'elles font fuir les hommes quand elles prennent elles-mêmes les devants. Ça peut arriver, c'est vrai, si elles agissent sans discernement ou si elles font tout le travail. J'ai vécu une expérience inoubliable. Cette femme m'a dit, tout simplement: «Étends-toi, relaxe et laisse-moi essayer quelque chose...» Eh bien, ce jour-là, j'ai atteint le septième ciel!... sans compter que ce «quelque chose» m'a toujours excité plus que tout au monde.»

La plupart des hommes disent que c'est l'effet de surprise, l'aspect inattendu de cette prise de contrôle par la femme qui provoque en eux un délicieux frisson. Mais nombre de femmes, de leur côté, sont mal à l'aise dans ce rôle qui provoque chez elles une certaine anxiété. Elles s'inquiètent, à juste titre, de ce qu'on raconte au sujet de ces hommes qui, quoique se disant d'accord avec une nouvelle image de la femme, sont, dans les faits, inhibés par l'attitude libérée des femmes et battent en retraite devant cette nouvelle partenaire. De l'initiative, d'accord; mais jusqu'à quel point? Voilà la question que les femmes se posent et qu'elles posent à leur analyste quand surviennent les problèmes sexuels.

Étant donné que nous vivons dans un monde où les hommes semblent être de plus en plus rares et que les femmes, pour être heureuses, recherchent une relation basée sur la fidélité, il me semble que la façon la plus réaliste et la plus efficace d'appréhender le problème est la suivante. Si vous n'arrivez pas (et dites-vous bien que vous n'êtes pas la seule dans votre cas) à établir la frontière entre une attitude trop passive et une attitude trop entreprenante, reportez-vous à ces deux principes:

1. Les hommes sont de bonne foi quand ils disent vouloir que les femmes prennent plus d'initiatives sexuelles. Mais ce qu'ils oublient de dire, c'est qu'ils ne le veulent pas tout le temps.

2. Les hommes aiment bien penser que ce sont eux qui permettent aux femmes de prendre ces initiatives.

Le second point est crucial et demande réflexion. Prendre les devants tout en laissant à l'homme le sentiment que c'est lui qui marque les points, c'est générer chez lui un sentiment de force et de pouvoir — sentiment auquel aucun homme ne saurait résister.

«Jamais je n'oublierai cette femme, la plus sexy de toutes celles avec qui j'ai couché. Ce n'était pas une beauté, mais elle était bien balancée. Elle avait surtout le tour de me donner le sentiment d'être, au lit, un véritable Rambo. Sa méthode consistait d'abord à me laisser savoir qu'elle avait envie de faire l'amour; par exemple, elle portait — c'était le plus sûr indice — une paire de talons aiguille rouge vif, qui la faisait onduler des hanches de la façon la plus éloquente. Elle m'entraînait ensuite dans la chambre à coucher. Là, elle se contentait de déboutonner sa blouse ou de retirer négligemment ses bas. Puis elle s'arrêtait net. À partir de là, c'est moi qui devais prendre les commandes. Cette façon qu'elle avait de me mener jusqu'au puits et de m'obliger ensuite à faire ma part pour tirer l'eau avait sur moi un effet explosif. Comparez ça à la strip-teaseuse qui garde comme seul ornement un petit cache-sexe, donnant envie à tous les gars de sauter sur la scène pour le lui arracher. Une fois au lit, elle répétait le même manège: elle venait me chercher, puis stoppait ses avances dès qu'elle sentait que j'avais mordu. Ces femmes-là savent s'y prendre — au lit et ailleurs — pour rendre un homme complètement fou. Elles vous donnent l'impression que c'est vous qui dirigez le tournage après en avoir rédigé le scénario.»

Le refus de s'abandonner

Ne pas comprendre ou ne pas tenir compte de l'importance de s'abandonner est une autre «erreur» qu'on nous reproche fréquemment. Les femmes comme celle dont il fut question dans l'exemple précédent, sexy et excitantes, comprennent d'instinct ce principe.

Dans le passé, les femmes s'abandonnaient totalement à la volonté d'un homme à qui elle donnaient leur cœur, leur âme et leur virginité. Aujourd'hui, un homme peut désirer ardemment qu'une femme prenne les devants, lui fasse l'amour et passe à l'attaque quand il en a envie; mais dans les faits, les hommes veulent en général que les femmes, dans l'acte sexuel, s'abandonnent à eux corps et âme.

Certains hommes diront des femmes qui agissent ainsi qu'elles sont «capables d'un complet abandon». D'autres hésitent à admettre qu'ils aiment «dominer», mais reconnaissent que, dans les faits, c'est bien cela qu'ils veulent. D'autres avouent qu'en fin de compte, ils aiment bien qu'une femme soit «conciliante». Ce point de vue masculin n'a rien à voir avec les relations sado-masochistes; il n'est que l'expression de ces différences entre les sexes qui ont traversé les âges et qui sont, aujourd'hui encore, bien ancrées dans nos comportements. Une femme qui reconnaît l'importance du principe de reddition dans les rapports sexuels saura satisfaire le besoin de conquête et de pouvoir de l'ego masculin.

À notre époque, alors que la femme a acquis une certaine indépendance et qu'on la reconnaît comme égale à l'homme, que ce soit au travail, en politique, dans les arts ou ailleurs, il peut nous paraître difficile de passer subitement du rôle de la femme libérée à celui de la partenaire soumise. Mais il ne faut pas oublier que cette reddition suppose un plaisir à la fois physique et psychique partagé par les deux conjoints. Parce qu'on attend d'elles un certain type de comportement au bureau ou au volant de leur auto, les femmes font l'erreur, une fois dans la chambre à coucher, de mépriser leur rôle séculaire qui consiste à donner et à recevoir de l'amour, et à finalement rendre les armes devant leur homme.

Ce transfert de valeurs ne se fait pas sans difficulté. Il exige que vous réfléchissiez profondément à votre conception du rôle féminin dans les rapports sexuels. Mais dites-vous bien que si vous êtes incapable de vous abandonner à votre homme corps et âme, plus grandes sont vos chances de vous retrouver avec un mari infidèle. Si vous tenez à ce que votre homme n'appartienne qu'à vous, il faut que vous lui donniez ce dont il a besoin, c'est-à-dire l'assurance que vous lui appartenez totalement.

Or, pour lui donner cette assurance, il faut que vous soyez vraiment présente. Une femme qui, au lit avec un homme, se censure parce qu'elle a peur ou parce qu'elle s'inquiète de sa propre performance, ou bien qui se demande si elle aura un orgasme ou si elle sera capable d'en avoir plusieurs, ou qui se met à penser aux enfants, au bureau ou à la dernière remarque cinglante de sa belle-mère, n'arrivera jamais à s'abandonner aux plaisirs de l'amour ni à faire sentir à l'autre qu'elle se donne à lui entièrement. Cette femme n'est pas vraiment présente; elle se cache derrière ses propres angoisses, ses problèmes et ceux des autres. Par contre, celle qui laisse voir à son partenaire qu'elle est totalement présente à ce qui se passe, qu'elle s'abandonne avec lui aux plaisirs du moment — qu'elle s'abandonne à lui totalement —, confirme celui-ci dans son sentiment de virilité et satisfait ainsi un des besoins les plus fondamentaux de son ego.

Tout ce que vous avez toujours voulu savoir sur la peur de l'impuissance

Combien de fois avons-nous entendu parler de l'angoisse des hommes face à la peur de ne pas avoir d'érection? Mais savez-vous vraiment en quoi consiste cette angoisse? Une femme peut-elle vraiment imaginer ce que c'est d'avoir un organe externe, vulnérable — et mesurable! —, dont on ne contrôle absolument pas les réactions? Qui semble animé d'une volonté qui lui est propre, se manifestant quand il devrait se faire discret ou restant désespérément inerte quand vient le temps de faire ses preuves...

Une femme ne sait tout simplement pas ce que c'est que d'avoir ainsi à démontrer ses capacités par une érection. Nous pouvons à peine concevoir ce sentiment. De ce fait, il nous est difficile, quand un homme nous avoue sa crainte, sa honte ou son sentiment d'impuissance, de lui venir en aide. Mais nous pouvons chercher à le comprendre — à faire preuve de compassion à son égard.

L'homme n'a aucun contrôle sur les réactions de son pénis. Il est totalement soumis à la «volonté» de ce bout de chair. D'où ses peurs et ses efforts pour les dissimuler, qui influeront grandement sur sa façon de se comporter avec les femmes.

Celles-ci commettent une grave erreur en sous-estimant la terreur — le terme n'est pas trop fort — que tout homme, à un moment ou à un autre de sa vie, éprouve face aux propriétés déroutantes de cet organe dont la maîtrise lui échappe. Le pénis, nous l'a-t-on assez répété, est indissociable de l'ego masculin; ils sont aussi intimement liés que, pour nous, amour et sexualité.

Lorsque votre homme, sans que vous arriviez à vous expliquer pourquoi, se défile ou adopte un comportement dur et fermé, dites-vous qu'il souffre peut-être d'un blocage physique et émotionnel dû à cette peur de l'impuissance. Peu d'hommes seront capables de vous exprimer leur angoisse à ce sujet; ce serait pour eux avouer leur incompétence. Les femmes ne connaissent aucun sentiment comparable; une femme frigide n'éprouvera peut-être pas de plaisir physique, mais on n'attend pas d'elle qu'elle fasse à tout prix la preuve de ses capacités.

Voici ce qu'en pense un des hommes que j'ai interviewés. «Quand un homme vous dit qu'il a mal à la tête, qu'il est vanné ou qu'il a seulement envie de regarder la télé, peut-être est-ce parce qu'il a peur de ne pas bander. Pour rien au monde, il n'avouera cela à sa femme ou à son amie. Il ne se l'avoue même pas à lui-même; il refuse de reconnaître qu'il puisse vivre cet échec.»

Notez le mot «échec». Ne pas avoir d'érection équivaut à une défaite, à une déficience, à une incompétence. Imaginez que vous ayez à faire face à un sentiment de ce genre chaque fois que vous vous préparez à entreprendre une activité qui devrait normalement être source de plaisir. Une femme qui n'atteint pas l'orgasme peut aussi voir cela comme un échec, mais elle peut toujours faire semblant. L'homme ne bénéficie pas de cette possibilité.

L'angoisse de la performance peut rapidement dégénérer en problèmes temporaires d'érection qui, dans certains cas, évolueront vers une impuissance chronique. J'ai voulu mettre l'accent sur cette peur que tous les hommes éprouvent un jour ou l'autre pour que les femmes, mieux averties, prennent conscience que l'homme est lui aussi fragile sur le plan sexuel. Nous nous imaginons les hommes comme des mâles fougueux, en perpétuel état d'excitation, toujours prêts. Voilà un fantasme que les deux sexes partagent, et dont il serait temps que nous nous débarrassions. La meilleure amante est celle qui s'efforce de connaître et de comprendre le comportement sexuel de son partenaire.

Confondre sexe et amour

Les hommes nous reprochent sans cesse de confondre amour et sexualité; ce qui nous ramène à l'équation du chapitre deux selon laquelle, pour la majorité des hommes: sexe = sexe + parfois amour; tandis que pour la majorité des femmes: sexe = amour.

En d'autres mots, les hommes, selon ce qu'ils nous disent, éprouveraient en faisant l'amour tantôt un plaisir purement physique, tantôt à la fois un plaisir physique et un sentiment amoureux. De leur côté, la très grande majorité des femmes incluent dans leur description de la relation sexuelle chaleur, affection, romantisme et une certaine complicité amoureuse.

Un jeune homme de moins de trente ans résume ainsi la situation. «Les hommes, je crois, connaissent deux types de relations sexuelles: avec ou sans attachement. Les femmes, elles, semblent n'en connaître qu'un: elles éprouvent chaque fois une sorte d'attente, un certain attachement pour leur partenaire.»

«Si une femme, ajoute-t-il, ne peut pas se mettre dans la tête qu'un homme est capable de baiser à en rendre l'âme sans jamais penser, ne serait-ce que l'espace d'une seconde, qu'il puisse en résulter un amour quelconque, alors elle se met le doigt dans l'œil jusqu'au coude.»

En somme, «l'erreur» que les hommes reprochent aux femmes, c'est de ne pas faire l'amour pour le simple plaisir de faire l'amour et de concevoir tout rapport sexuel en termes d'amour et de sentiments. Mais ce que les hommes doivent comprendre, c'est que les femmes ne commettent pas d'erreur en percevant ainsi les rapports sexuels; elles ne font que répondre aux besoins de leur propre ego, qui diffèrent, nous l'avons vu, de ceux de l'ego masculin.

Y a-t-il espoir de réconciliation entre les deux parties? Serait-il possible qu'un jour hommes et femmes en viennent à combler ce fossé qui les sépare? Oui, pourquoi pas? Mais à la condition que chacun fasse l'effort de comprendre et de satisfaire les besoins psychosexuels de l'autre. Selon un sexologue que j'ai interviewé, une femme aura plaisir à combler son homme par des relations sexuelles chaleureuses et excitantes si, en retour, celui-ci sait répondre à ses besoins de romantisme et de tendresse. Les deux partenaires, assure-t-il, peuvent trouver dans le sexe ce dont ils ont besoin, à la condition qu'ils sachent tous les deux donner.

Une erreur impardonnable

«Le sexe occupe-t-il une place plus importante au début de la relation?» Posez la question et vous obtiendrez presque invariablement la même réponse: «Oui.» La majorité des hommes et des femmes vous diront qu'en effet, passé l'engouement initial, le sexe perd peu à peu de son importance. Or, c'est justement cette façon de voir les choses qui favorise l'infidélité.

Pourtant, en 1976, un groupe de chercheurs affirmaient, après une étude menée auprès de trente-deux couples, qu'*avec le temps, le sexe prend de plus en plus d'importance* tandis que décroît le besoin de sécurité.

En 1988, l'éminent psychologue Robert Sternberg confirma ces résultats. «À mesure que la passion fait place à l'habitude, conclut-il d'une recherche qu'il réalisa avec la participation de Sandra Wright, l'habileté du couple à entretenir la flamme de son désir et une vie sexuelle intéressante prend plus et non moins d'importance.»

De toutes les «erreurs» que vous pouvez commettre, la plus néfaste est celle qui consiste à ne pas tenir compte de ce fait. En revanche, si vous êtes consciente que les besoins sexuels grandissent avec le temps, vous vous efforcerez de maintenir une vie sexuelle qui soit satisfaisante pour l'un et l'autre et, ce faisant, vous encouragerez votre homme à vous rester fidèle.

Un dernier avertissement. Si vous vous répétez sans cesse que votre vie sexuelle va un jour devenir ennuyeuse, c'est ce qui arrivera. La plupart des gens semblent croire que le désenchantement sexuel est une fatalité qui guette tous les couples et dont la menace grandit au rythme des anniversaires qui se succèdent. Personne n'y échappe, se disent-ils; la passion s'éteint, les rapports sexuels, s'il y en a encore, sont rapides et sans surprise. La façon dont vous prévoyez qu'évoluera un mariage ou une relation constitue déjà un bon indice de ce qui arrivera. Ce ne sont pas là des paroles en l'air; des études démontrent que les personnes les mieux placées pour prédire l'avenir du couple sont les conjoints eux-mêmes. Donc, si vous prévoyez pour votre vie sexuelle un ciel lourd et orageux, il est fort probable qu'en effet le désenchantement vous guette. Il n'est pas toujours nécessaire d'aller bien loin pour trouver la belle et grande aventure, on peut la faire fleurir dans son propre jardin.

CHAPITRE DIX-SEPT

«*Jamais je ne te pardonnerai*»

Comme la plupart des mariages, celui de Suzanne et de Daniel G. avait ses bons et ses mauvais moments; mais Suzanne, âgée de trente-quatre ans et mère de deux enfants, se croyait heureuse... jusqu'au jour où le ciel lui tomba sur la tête.

«Daniel m'avait dit, raconte Suzanne, qu'il allait en voyage d'affaires dans la ville où se trouvent la plupart de ses clients. Ce soir-là, c'était l'anniversaire de Janine, ma meilleure amie; comme les enfants dormaient chez des amis, nous avons donc décidé de fêter l'événement dans le meilleur restaurant de la ville.

«Nous sommes arrivées de fort bonne humeur. En nous dirigeant vers notre table, j'ai vaguement remarqué un homme qui dînait à une table du fond. Il avait la tête penchée de sorte que je ne voyais pas son visage, et son bras entourait d'un geste protecteur les épaules de la femme qui l'accompagnait. Quelque chose dans cette attitude romantique m'a rappelé Daniel, mais sans plus. Daniel était en voyage d'affaires. Au moment de prendre place à notre table, j'ai regardé l'homme à nouveau: c'était lui. Je n'en croyais pas mes yeux. Évidemment, Janine l'a vu aussi, ainsi que la femme avec qui il était. Je serais incapable de vous décrire ce que j'ai ressenti. Il m'avait trahi; j'étais folle de rage. Jamais, pensai-je alors, je ne lui pardonnerai.»

Imaginez que l'irréparable se produise, que votre ami ou votre amant vous trompe. L'infidélité n'est plus tout à coup un vague concept qui vous obsède, mais une réalité bien concrète:

quelque chose de terrible vient de vous arriver. Comment réagissez-vous? Vous prenez immédiatement rendez-vous chez un avocat pour obtenir le divorce? Vous souffrez en silence? Vous restez avec votre conjoint, mais vous vous faites un devoir de lui rendre la vie impossible? Beaucoup de femmes que j'ai interviewées ont vécu comme Suzanne des expériences déchirantes et ont cru que jamais elles ne pourraient pardonner. Quelle est la meilleure façon de se comporter en pareille situation de crise? L'infidélité est-elle réellement impardonnable?

Pour répondre intelligemment à cette question, il importe d'abord de bien identifier ce qui est pardonnable et ce qui ne l'est pas. Le pardon est un concept piège, qui peut ne pas avoir le même sens pour tout le monde; il demande à être clarifié. Les avocats et les conseillers matrimoniaux qui rencontrent ce genre de problèmes tous les jours s'entendent assez bien sur ce qui constitue un acte vraiment impardonnable.

Qu'est-ce qu'on ne saurait pardonner?

«J'ai vu bien des patients réussir à surmonter des situations extrêmement pénibles; mais il est deux types d'affronts que la plupart des gens n'arrivent pas à pardonner», déclare le docteur Milton Pereira, un éminent psychiatre new-yorkais dont un grand nombre de professionnels partagent l'opinion.

L'abus répétitif de drogues ou d'alcool qui conduit, dans la plupart des cas, à des actes de violence verbale ou physique constitue le premier de ces deux types d'affronts impardonnables.

Deuxième type d'acte impardonnable: l'infidélité, mais seulement dans le cas précis d'une aventure homosexuelle.

Selon Kenneth Kemper, un avocat en droit de la famille, il n'y a rien pour une femme de plus atterrant que l'aveu, par son mari, de sa bisexualité. Une telle révélation blesse cruellement l'ego de la femme, tant par la menace psychologique que par le danger physique qu'elle représente. Il est vrai qu'on rencontre peu d'hommes mariés ayant des relations homosexuelles, tandis que l'infidélité hétérosexuelle, malgré la crainte du sida et des maladies sexuellement transmissibles, est un phénomène, nous l'avons vu, fort courant. Mais l'infidélité passagère ne mène plus automatiquement au divorce comme c'était le cas il y a quelques années. La plupart des thérapeutes et des conseillers matrimoniaux sont d'avis que la libération sexuelle des quinze dernières années a rendu plus acceptable ce genre de transgression; elle fait maintenant partie des situations qu'un couple a à traverser et ne représente plus nécessairement une cause de divorce.

D'après l'expérience du docteur Anthony Pietropinto, l'adultère «est loin d'être impardonnable». Seulement 14 p. 100 des femmes interrogées lors d'une enquête menée par le docteur Pietropinto ont déclaré qu'elles choisiraient en cas d'infidélité «le divorce immédiat». Encore faut-il ajouter, selon le chercheur, qu'il est difficile de prévoir quelle serait effectivement leur réaction, la question étant purement hypothétique. Mais il reste que les relations de longue durée, croit-il, sont plus difficiles à accepter que les passades ou les aventures d'un soir.

Comment réagir

Lorsque «l'impardonnable» se produit, notre ego en prend un coup. Sous l'attaque, c'est toute notre identité sexuelle qui chavire. Que lui trouve-t-il? Qu'est-ce qui me manque? Elle est certainement plus jolie, plus sexy, plus intelligente que moi, pense-t-on tout de suite. Pourquoi est-ce que je ne lui conviens plus? Qu'ai-je bien pu faire pour qu'il agisse ainsi? Aucun homme ne pourra plus jamais m'aimer... Voilà comment on réagit habituellement à l'adultère.

L'idée qu'*on ne veut plus de nous* nous plonge dans le plus profond et le plus douloureux désarroi. Apparaissent aussitôt un sentiment aigu de rejet, la perte de l'estime de soi et la conviction que nous ne valons rien.

«Ce n'est pas votre faute s'il a une aventure, tente d'expliquer un psychothérapeute aux femmes qui viennent le consulter. Et cela ne fait pas de vous une personne moins valable, une femme moins intéressante. Vos qualités sont les mêmes qu'avant que vous découvriez son infidélité. Vous n'avez pas changé. Ce qui est arrivé, toutefois, mérite que vous y réfléchissiez — de préférence avec l'aide d'un professionnel compétent — de façon que vous puissiez, si possible, tirer profit de l'expérience.»

Suzanne G., elle, se sentit submergée par «une gigantesque vague de rejet», puis envahie par une rage folle. «J'ai crié après lui jusqu'à ce qu'il se mette à pleurer, lui qui n'avait jamais versé une larme, même pas à la mort de sa mère.»

Suzanne a réagi avec fureur en attaquant directement son mari, tandis que d'autres femmes choisissent froidement de garder leurs distances pour punir leur partenaire d'avoir commis l'irréparable.

«Après avoir découvert son aventure, je suis restée avec mon mari, me confia une femme, mais nous ne nous sommes plus touchés depuis, et il y a de cela trois ans.

— A-t-il essayé de vous approcher? Pensez-vous vivre comme cela... jusqu'à la fin de vos jours? lui demandai-je.

— Il a tenté un rapprochement environ six mois après les événements, mais évidemment j'ai rejeté ses avances. Ai-je vraiment le choix? dit-elle d'une voix où ne transperce aucune émotion. J'imagine que je partirai quand notre plus jeune entrera au collège, mais ce ne sera pas avant neuf ans.

— Comment décririez-vous votre mariage, en ce moment?

— Nous nous comportons avec courtoisie l'un vis-à-vis de l'autre. Nous cohabitons et nous nous occupons des enfants. À part cela, la relation est morte.»

La réaction de cette femme se caractérise par un retrait émotif complet et une sorte de résignation à l'état de martyre. En ne cherchant d'aucune façon à régler le problème, elle s'agrippe à sa rage et à son mépris, creusant davantage le fossé entre elle et son mari, aggravant chaque jour sa propre blessure.

Noyée dans la souffrance, cette femme ne cherchera pas à connaître les motifs qui ont conduit son mari à la tromper. Suzanne, au contraire, a senti le besoin de sauver son mariage.

«Après l'événement, nous avons eu de longues conversations, mais qui nous laissaient toujours en colère et plus éloignés qu'avant», m'avoua Suzanne au cours de nos entretiens. C'était environ quatre mois après toute cette histoire. «J'ai alors senti que nous n'avions pas d'autre choix que la consultation matrimoniale. Nous avons finalement décidé d'y recourir, pour notre plus grand bien. J'ai découvert ainsi que, malgré son air assuré, bien des choses effrayaient Daniel. Il avait surtout extrêmement peur de se faire damer le pion au travail par les plus jeunes; selon lui, il se trouvait professionnellement au bord du précipice. J'ai commencé à me rendre compte que son moi était très fragile — et dans son domaine, celui de la vente, il faut savoir se montrer diablement fort. Je me suis aperçue aussi que

je n'étais pour rien dans ce qui était arrivé; il ne m'avait pas reje-
tée parce que je n'avais pas été assez femme pour le garder
fidèle. La rencontre avec l'autre femme lui avait tout simplement insufflé un peu du courage qui lui manquait, et quand ces
choses-là se sont produites, je ne connaissais pas la dynamique
psychosexuelle de l'ego, comme vous dites.

«Il la voyait depuis un mois environ. Heureusement, j'ai
découvert le pot aux roses avant que les choses n'aillent trop
loin... Aujourd'hui, nous travaillons ensemble à lui donner la
force intérieure dont il a besoin, de sorte qu'il n'ait plus à recourir au support de quelqu'un d'autre.»

Grâce à la bataille durement livrée par Suzanne pour
comprendre les besoins de Daniel et les siens, leur relation jouit
maintenant d'un meilleur équilibre. Daniel a assumé sa part de
responsabilité, mais Suzanne ne se cache pas pour dire que c'est
elle qui a sauvé leur mariage. «Si j'avais voulu divorcer, déclare-
t-elle, je crois bien qu'il ne m'en aurait pas empêchée. Il était
trop abattu pour faire l'effort de renouer les liens, et il y avait
évidemment l'autre femme qui attendait qu'il me quitte. J'ai
deux enfants et je mène une vie que j'aime. J'ai réfléchi longuement avant d'en arriver finalement à la conclusion que je
l'aimais assez pour suivre cette thérapie. Cela me paraissait
vraiment nécessaire et je ne l'ai jamais regretté depuis.»

La première tâche du thérapeute, quand une femme comme
Suzanne vient le consulter, consiste habituellement à lui faire
prendre conscience de ce qui s'est produit dans la relation et à
l'aider à comprendre pourquoi les choses ont tourné ainsi.

«Tout d'abord, regardez les faits, conseille un psychiatre
dont la clientèle se compose surtout de couples, puis demandez-vous si son comportement est réellement impardonnable.
Qu'est-ce, en particulier, qui provoque votre réaction? Quels
sont vos besoins à vous qui ne sont pas satisfaits? Quels sont ses
besoins à lui qui ne trouvent pas d'exutoire? Y aurait-il moyen
de répondre à ses besoins? Ou demande-t-il l'impossible? Ou
encore est-ce vous qui en demandez trop? Est-ce son attitude
qui vous répugne tant ou est-ce le fait qu'il vous ait caché quelque chose? Ce genre de questions peut vous aider à identifier
de façon réfléchie ce qui, pour vous, est inacceptable.»

Si vous acceptez que tout écart de conduite n'est pas
nécessairement une catastrophe, qu'il ne signifie pas obligatoi-
rement un rejet de votre féminité ou la fin de la relation, vous

serez mieux à même d'évaluer les choix qui se posent alors à vous. Les avocats et les thérapeutes spécialisés en questions matrimoniales ont noté qu'un mariage de longue date résiste mieux en général à une tension soudaine qu'une union récente. Chez les couples bien établis, un seul acte d'infidélité ne suffit habituellement pas à entraîner un divorce ou une séparation; c'est plutôt l'accumulation des problèmes qui mène les gens en cour, lorsque tombe tout à coup la goutte qui fait déborder le vase.

Trois attitudes

S'il a été infidèle, vous avez le choix entre trois attitudes:

- mettre fin à la relation;

- accepter la situation;

- regarder les choses en face et tenter de résoudre le problème.

Jennifer L., une courtière en valeurs mobilières de vingt-neuf ans mariée depuis trois ans, a opté pour le divorce. «Un jour, raconte-t-elle, j'ai découvert que Georges entretenait depuis un an une relation avec sa secrétaire. Il m'a juré qu'il allait la renvoyer et cesser de la voir, mais il n'a pas tenu promesse. J'ai finalement compris qu'il continuerait à me tromper, avec elle ou avec d'autres. Il est incapable de rester fidèle et, pour moi, c'est tout à fait intolérable. J'ai un bon emploi; je vais trouver un autre homme avec qui bâtir la relation à laquelle j'aspire. Quant à lui, il lui faudrait un bon psychiatre.» Jennifer en était arrivée à la conclusion que peu importe ce qu'elle ferait, les besoins de Georges ne seraient jamais satisfaits et qu'elle ne pourrait trouver qu'ailleurs la fidélité et la véritable intimité qu'elle recherchait.

Autre option, peut-être la plus difficile: accepter la situation, c'est-à-dire poursuivre la relation tout en sachant qu'il y aura toujours une ombre au tableau. Il s'agit, cette fois encore, d'évaluer courageusement les différents facteurs en cause, de mesurer ce que vous êtes capable de supporter et de reconnaître que votre choix, dans les circonstances, est le meilleur que vous puissiez faire.

«Le jour où j'ai découvert ce qui se passait, j'ai tout de suite senti que je ne pouvais ni vivre avec lui, ni m'en séparer», déclare une femme dont le partenaire, avec qui elle habitait depuis trois ans, vivait une «aventure sans lendemain» avec une collègue avocate. «C'est cette ambivalence qui m'a torturée. Il m'a fallu des mois de réflexion avant d'en arriver à conclure que je ne pourrais pas vivre sans lui et qu'il fallait tenter de nous en sortir. Vous allez vous moquer de moi, mais je dressais des listes sur des tablettes de papier jaune, alignant en colonnes ce que j'aimais ou n'aimais pas de lui, de moi, de notre relation. Or, au moment de faire l'addition, il m'est apparu clairement qu'il était préférable, pour moi, de maintenir la relation. Bien entendu, ces listes ne m'enlevaient ni ma colère, ni le sentiment de trahison que j'éprouvais face à ce qui s'était produit. Mais une fois ma décision prise, je me suis sentie mieux et maintenant nous y travaillons. En réalité, je veux épouser Jacques et je pense que toute cette histoire nous a permis de mettre cartes sur table et de nous rapprocher. Si bien qu'aujourd'hui le mariage est plus que jamais envisageable.»

Il peut être utile de savoir aussi qu'il n'est pas indispensable de pardonner, précise une spécialiste des crises conjugales. Beaucoup d'entre nous ont appris, étant jeunes, qu'il fallait savoir pardonner et oublier; mais ce genre d'éthique, fait-elle remarquer, peut augmenter la tension psychologique. «Il se peut que vous soyez incapable de pardonner, dit-elle, mais rien ne vous empêche de rester ensemble pour autant.»

La confrontation, qui semble essentielle au bien-être mental et émotionnel de beaucoup de femmes, peut ne pas se révéler bénéfique non plus. Il y a des circonstances où il vaut mieux passer sous silence ce qui est arrivé. Plutôt que de nous aider à remonter la pente, la confrontation risque alors d'ébranler davantage notre propre estime déjà fragile et de blesser encore plus notre ego. Au lieu de nous exposer à un duel fracassant, il peut être infiniment plus sage de soupeser les attraits de la relation, de nous demander s'il y a lieu de rejeter tout ce que nous y avons investi et de regarder en face les possibilités qui s'offrent à nous.

«La vie est souvent un dur combat, remarque un autre psychothérapeute, et certaines personnes n'auront tout simple-

ment pas le courage de faire le choix qui leur paraît être traditionnellement la «bonne chose à faire» en cas d'infidélité — soit
se séparer ou divorcer. Après mûre réflexion, elles opteront
peut-être pour le statu quo à cause des avantages importants
qu'elles en retirent.»

Devant une situation qui semble sans issue, la troisième
option consiste à aborder le problème avec votre partenaire. Ici
encore, certains conseils peuvent être utiles.

Il s'agit d'abord d'accepter que l'infidélité n'est pas forcé-
ment un acte impardonnable. Puis, prévoyez ensemble un
moment pour vous parler. Même si vous êtes prête à en parler,
cela ne veut pas dire que vous ayez pardonné l'adultère. À peu
près rien de ce que votre partenaire pourrait dire à ce moment-
là ne saurait justifier ses actes, mais le simple fait d'en parler est
presque toujours profitable. Au début, tenez-vous-en à de
courts échanges où vous vous limiterez à revoir les faits. Plus
tard, vous tenterez d'obtenir une réponse aux questions qui
vous tracassent. Certains thérapeutes recommandent de prévoir
pour ces entretiens une durée limite de dix à quinze minutes.

«Ce genre d'entretien, précise le docteur Milton Pereira, ne
doit pas se dérouler sur un pied de guerre. Vous êtes là pour
résoudre un problème, non pour aviver les tensions.»

Tout au long de ces pourparlers, limitez-vous à parler des
faits et posez vos questions sur le ton le plus neutre possible, en
ayant toujours une attitude positive. En même temps que se
déroule ce processus, «faites en sorte de vous retrouver dans
des situations agréables du genre de celles que vous aviez l'habitude de vivre ensemble, ajoute le Dr Pereira: sortez faire une
promenade, à pied ou en voiture; allez manger dans votre
restaurant préféré; invitez des amis à dîner. Ne vous aventurez
pas sans gilet de sauvetage dans les remous de votre relation;
entretenez la chaleur des bons souvenirs.»

Si vous êtes enragée au point de ne plus voir clair, ATTENDEZ,
prévient le docteur Pereira, *ne dites rien*. Essayez de vous rappeler comment, dans le passé, vous êtes arrivée à retrouver votre
calme, et refaites la même chose. Lorsque vous serez dans un
état d'esprit le plus neutre possible, parlez d'abord des faits,
puis, très lentement, abordez les aspects plus difficiles et posez
les questions qui vous permettront de comprendre ce qui s'est
passé afin d'atténuer petit à petit votre colère et votre ressentiment.

Certains spécialistes estiment préférable que chacun fasse un long monologue. Selon eux, cela est préférable à un périlleux dialogue, si bref soit-il. Une fois que chacun a exprimé ce qu'il avait à dire, on entame la discussion. Mais il faut d'abord que les deux aient pu s'expliquer séparément.

Dans un ouvrage intitulé *Intimate Partners*, Maggie Scarf analyse cette méthode thérapeutique. Les deux membres du couple, explique-t-elle, s'entendent sur leur «rôle» respectif. Tandis qu'une des deux personnes parle sans être interrompue pendant un certain laps de temps — ce peut être une demi-heure —, l'autre écoute attentivement. (Pour déterminer qui parlera en premier, on peut jouer à pile ou face ou procéder par ordre alphabétique.) Aucune discussion ne doit faire suite à ce premier exposé de la situation, aucun jugement ne doit être émis sur ce qui vient d'être dit. Puis, à son tour, le deuxième partenaire prend la parole pour un laps de temps équivalent, et l'autre écoute. Ce genre d'exercice structuré «peut donner naissance, souligne Maggie Scarf, à un nouveau type de relation». Incroyablement simple, cet échange de rôles constitue néanmoins un outil «remarquablement efficace» pour provoquer un changement quand la relation dégénère, en particulier quand elle s'enfonce dans les sables mouvants de l'infidélité.

Le piège

Prenez garde aux ultimatums, vous diront la plupart des spécialistes. Une phrase comme «Si tu revois cette femme encore une seule fois, je pars» peut vous coûter cher, à moins que vous ne soyez prête à le faire. Il se peut qu'il doive la rencontrer une dernière fois avant de la quitter; mieux vaut alors éviter ce genre de sommation qui risque de vous faire perdre la face ou, pire, de vous placer dans une situation que vous pourriez regretter par la suite. Il serait beaucoup plus sage de lui faire savoir clairement que vous ne pourriez tolérer que se répètent les événements en question, sans pour autant lui lancer un ultimatum.

«Ne vous attendez pas à ce qu'il mette fin du jour au lendemain à toute activité extraconjugale. Il se sentira sans doute «tiraillé», explique une conseillère qui a aidé de nombreux couples à surmonter l'infidélité. Ce qui fait le plus souffrir certaines femmes, c'est le mensonge. Mais il n'avait pas le choix; vous ne pensez tout de même pas qu'il allait lui-même se dénoncer. Les femmes — et elles sont nombreuses — qui ont plus de difficulté à pardonner le mensonge que l'infidélité ont tort. On ne peut pas juger quelqu'un totalement indigne de confiance sous prétexte qu'il a menti pour camoufler un acte répréhensible. Il faut tenir compte de l'ensemble de la situation plutôt que de considérer le mensonge isolément.»

«L'autre femme» constitue elle-même une autre difficulté à laquelle les deux partenaires auront à faire face. *Elle existe*, cette femme, elle est là, et vous devez tous deux en tenir compte. Vous ne pouvez pas vous contenter de dire à votre partenaire en vous en lavant les mains qu'elle, c'est son problème. Bien sûr, reconnaissent les professionnels, c'est à lui qu'il revient de s'entendre avec elle, mais vous ne pouvez pas non plus nier son existence. Une telle attitude ne pourrait que vous faire souffrir davantage et ralentir le processus de guérison.

Il faut du temps ainsi qu'une bonne dose d'engagement et de détermination pour arriver à régler ensemble un problème, en particulier quand il s'agit d'infidélité. Mais si vous êtes tous les deux prêts à vivre des émotions parfois déchirantes, vos chances de succès selon les experts sont élevées. Ayant tout à coup à faire face à l'impardonnable, les partenaires sont souvent surpris de constater que ce qu'ils apprennent alors à propos d'eux-mêmes se révèle d'une valeur inestimable pour la poursuite de leur relation.

CHAPITRE DIX-HUIT

Diamant et jus d'orange

Quel défi enrichissant et stimulant furent pour moi ces deux années de recherches sur la fidélité! Je crois pouvoir affirmer, maintenant que j'ai terminé ce livre, que je saisis mieux ce qui ne va pas entre les hommes et les femmes — sans compter que ce travail m'a appris des tas de choses qui me seront utiles dans ma propre vie. J'ose croire que j'ai réussi à vous les communiquer. J'ai trouvé la plupart des personnes que j'ai interviewées, je vous l'ai déjà dit, par l'intermédiaire d'amis, de collègues ou de connaissances; le hasard a mis les autres sur mon chemin. Les deux entrevues rapportées dans ce dernier chapitre sont le fruit de coïncidences. Elles résument bien, selon moi, ce que j'ai tenté de vous transmettre tout au long de cet ouvrage.

J'ai un faible pour les bijoux, en particulier pour ceux que je ne peux pas me payer. Or, j'ai découvert en Californie une boutique unique où l'on trouve de magnifiques bijoux: somptueux colliers de perles antiques munis de fermoirs délicats, bagues superbes serties d'émeraudes et de saphirs extravagants, broches exquises, dont une taillée dans un rubis et ornée de feuilles d'or qui tremblent au moindre souffle... Ces trésors et bien d'autres encore, réunis dans ce somptueux bazar, sont présentés dans de ravissantes armoires aux vitres biseautées.

J'étais allée à Los Angeles pour faire des entrevues et je me rendais à pied à un rendez-vous dans un grand hôtel lorsque je tombai par hasard sur M. Wolfe et ses bijoux. Juste au moment où je m'arrêtais devant la vitrine, un homme sortit de la boutique. Impossible de ne pas le remarquer: une vraie star! Il s'éloigna dans son élégant costume gris rayé qui contrastait avec les tons pastel des fringues à la mode qui coloraient Rodeo Drive en cette fin d'après-midi. Je le vis glisser dans la poche de sa veste un tout petit écrin de cuir rouge.

Je reportai à nouveau mon attention sur les objets de la vitrine, parmi lesquels je remarquai tout à coup un joli cœur serti de perles. Je pensai que ce serait un parfait cadeau pour ma mère. Je pénétrai dans la boutique pour m'informer du prix et fus tout de suite éblouie à la vue de bijoux extraordinaires. Je demandai à voir le cœur, et M. Wolfe sortit de la vitrine et étala devant moi, avec la plus grande gentillesse, tous les bijoux et les colliers que je désirais admirer et que je n'avais bien entendu pas les moyens d'acheter. Nous nous mîmes ensuite à bavarder. Je lui dis que j'habitais New York et que j'étais ravie par tout ce que je voyais dans sa boutique.

«Vous avez remarqué cet homme qui est sorti tout à l'heure?» demanda-t-il.

Je fis signe que oui.

— Eh bien, il est de New York, lui aussi. Et il va bientôt faire une heureuse avec ce qu'il a acheté ici.

— Qu'a-t-il acheté?

— Un diamant exceptionnel. C'est une taille que je n'ai vue qu'une ou deux fois en trente ans de métier. Un diamant mince et très plat, plus petit qu'un ongle de bébé, enchâssé dans le chaton d'une bague et entouré de baguettes. Éblouissant, c'est le moins qu'on puisse dire. Une pièce unique. M. Leahy l'a aperçu dans la vitrine et m'a demandé si, en deux jours, on pouvait y faire graver une inscription. Le délai était court, mais quand il m'a dit ce qu'il voulait y faire inscrire, j'en suis resté bouche bée.»

M. Wolfe se tut, ménageant son effet.

«Alors, que voulait-il y faire graver? demandai-je.

— LOVEX∞.»

Il traça les caractères sur un bout de papier.

«Un code? demandai-je avec un air de conspirateur.

— Il n'a pas précisé ce que cela signifiait. Mais il tenait absolument à avoir cette inscription gravée, tenez-vous bien, sur le diamant!

— On ne peut pas faire cela, n'est-ce pas? Quoique, ajoutai-je, ce serait une idée intéressante.

— Je lui ai dit que j'avais déjà vu des rubis, des émeraudes ou des saphirs — des pierres plus tendres — sur lesquelles avaient été gravées des armoiries. Mais jamais sur des diamants.

«Il m'a demandé de trouver un artisan qui pourrait le faire en deux jours — deux jours, y pensez-vous? — parce qu'il devait quitter Los Angeles et qu'il ne pouvait partir sans ce cadeau. J'ai finalement déniché un excellent graveur, ici, dans un quartier voisin, qui a accepté de relever le défi de sa carrière. Il lui a fallu travailler à l'aide d'un microscope, comme un neurochirurgien. C'est ainsi que M. Leahy, ou plutôt, devrais-je dire, son amie, peut se vanter de posséder la plus belle et la plus insolite bague du monde.»

Quelle sorte d'homme peut bien avoir l'idée de faire graver un diamant? C'est la question qui me trottait dans la tête pendant que je me hâtais pour ne pas être en retard à mon rendez-vous.

Deux jours plus tard, à l'aéroport, en attendant le départ de l'avion qui devait me ramener à New York, j'aperçus l'homme à la bague. Il portait le même costume gris rayé.

Je m'assis à côté de lui et sortis mon calepin pour relire les notes prises au cours de mes entrevues. L'embarquement n'aurait pas lieu avant une demi-heure et je décidai de téléphoner à mon bureau. Pendant que j'attendais la communication, il se dirigea vers la cabine voisine et inséra dans l'appareil une carte de crédit. Puis il composa un numéro et appuya ses larges épaules contre la paroi vitrée qui séparait son téléphone du mien. Je notai au son de sa voix qu'il s'agissait d'une conversation intime.

Nous regagnâmes tous deux notre siège et il m'adressa un sourire amical. Comme je sortais de nouveau mon calepin de notes, on annonça que le vol était retardé d'au moins une heure.

«Tout est en retard, de nos jours», dit-il, philosophe, en jetant un coup d'œil à sa montre.

«Vous avez lu?» ajouta-t-il en me faisant voir la couverture de l'ouvrage qu'il tenait entre les mains.

Nous avions tous les deux envie de bavarder. Il s'appelait Richard Leahy et était copropriétaire d'une petite entreprise de conception graphique à New York. Il était venu à Los Angeles pour négocier un contrat important. Je lui dis que je travaillais à la rédaction d'un bouquin sur la fidélité. «Voilà un sujet intéressant, dit-il, tout à fait à l'aise. Parlez-moi de vos recherches.

— Non, c'est vous qui allez parler. Êtes-vous un homme fidèle?

— Il n'y a pas plus fidèle.

— Que voulez-vous dire exactement?

— Qu'est-ce que je peux vouloir dire, sinon que je n'ai jamais trompé ma femme en dix ans de mariage. N'est-ce pas cela qu'on appelle habituellement être fidèle?

— Oui, dis-je en souriant, mais ce ne sont pas tous les hommes qui voient les choses ainsi.

— Bien sûr, je ne le crie pas sur les toits. Dites-moi — ça m'intéresse —, combien d'hommes fidèles avez-vous rencontrés au cours de vos recherches?

— Environ un tiers des hommes que j'ai rencontrés faisaient partie de ce groupe, mais j'ai l'impression qu'ils sont moins nombreux que cela. Je crois que c'est parce que les hommes infidèles s'expriment beaucoup plus volontiers sur ce sujet. Ils aiment bien se vanter de leurs prouesses. Avez-vous déjà eu des tentations?

— Bien sûr, dit-il avec un sourire. Mais je ne considère pas la fidélité comme une privation; pour moi, c'est plutôt un privilège.

— Vous me paraissez être un homme romantique.

— Je ne parle pas souvent de ces choses-là, comme je vous le disais plus tôt, enchaîna-t-il, songeur; mais il m'est arrivé ici, cette semaine, une expérience étrange qui m'a amené à percevoir la fidélité sous un jour nouveau.

«Je sais que je plais aux femmes. Je ne voudrais pas paraître prétentieux, mais c'est comme ça. Je crois que c'est parce que j'apprécie vraiment beaucoup leur compagnie et qu'elles le sentent. Depuis quelque temps, mon associé et moi éprouvons certaines difficultés financières... Mais avez-vous vraiment envie d'entendre cette histoire?

— J'ai très envie de l'entendre. Ça vous ennuierait que je prenne des notes?

— Pour votre livre?

— Oui, si vous n'y voyez pas d'inconvénient. J'ai l'impression que vous allez me raconter des choses intéressantes.»

La bague à diamant qu'il transportait dans sa poche ou dans sa mallette attisait ma curiosité. Je voulais tout savoir.

«Il est toujours fascinant de constater combien il est facile de se confier à des étrangers, n'est-ce pas?

— C'est un phénomène bien connu, répondis-je très sérieusement. C'est le «syndrome de l'étranger rencontré dans un train». Un psychologue a publié une recherche sur le sujet.

— Et qu'y disait-on de «l'étrangère rencontrée dans un avion?» demanda-t-il en souriant.

C'était presque du flirt.

«Vous me disiez que vous avez eu des ennuis au travail et que cela vous avait amené à réfléchir à la fidélité...

— Oh! oui. Eh bien, depuis le krach, les affaires ne sont plus aussi stables et cela m'a rendu nerveux. Julie, ma femme, a vécu elle aussi des situations très stressantes. Elle fait de la recherche en biologie moléculaire et travaille jour et nuit sur le virus du sida. Je la vois cinq minutes le matin, si j'ai de la chance. Cela dure depuis trois mois.

— Et pendant tout ce temps, vous n'avez pas eu de relations sexuelles.

— Comment le savez-vous?

— J'ai entendu la même histoire des dizaines de fois. Je ne plaisante pas.

— Julie a toujours envie de faire l'amour; même quand nous n'avons que dix minutes devant nous. Elle aime ça. Le problème venait de moi. Pendant cinq mois — peut-être plus —, j'ai perdu tout intérêt pour le sexe. Trente-neuf ans — la crise de la quarantaine — des difficultés financières, tout cela était nouveau pour moi qui suis habitué au succès.»

Il eut un sourire triste et observa pendant quelques instants les manœuvres d'un 707 qui s'immobilisa de l'autre côté de la vitre, juste en face de nous. Puis il reprit son récit.

«J'étais inquiet. J'ai toujours eu une très forte libido. Ma sexualité était-elle en train de s'éteindre?

— Est-ce que par hasard vous n'auriez pas eu des difficultés d'érection avec votre femme?

— Vous lisez dans mes pensées, ou quoi? Oui, ça m'est arrivé à quelques reprises. C'était avant qu'elle entreprenne son marathon. Comment avez-vous deviné?

— Parce que tous les hommes, un jour ou l'autre, éprouvent ce genre de problèmes; et cela leur fait très peur. J'ai eu l'occasion d'en parler avec plusieurs sexologues. Un jour, force vous est de constater que vous n'avez pas d'érection et vous vous dites: «Merde! Voilà que les problèmes commencent.» Et c'est effectivement ce qui arrive, justement parce que vous vous inquiétez. Vous voilà alors pris dans un cercle vicieux; craignant de ne pas avoir d'érection, vous fuyez les occasions d'avoir des rapports sexuels. Vous vous dites que ça ne vous intéresse plus ou que votre femme est trop occupée. Mais, en fait, ce qui motive votre comportement, c'est la crainte de l'échec. De son côté, votre femme ne comprend pas ce qui se passe et vous avez peur de le lui dire — et peut-être même de vous l'avouer à vous-même. Mais racontez-moi ce qui est arrivé à Los Angeles.»

Il avait écouté attentivement mes explications; son regard ensuite se perdit au loin.

«Eh bien…, reprit-il après un long moment de silence. J'étais descendu à l'hôtel Four Seasons pour donner l'impression à notre client qu'il traitait avec des gens prospères — je n'arrive pas à croire que je suis en train de vous raconter des choses aussi personnelles.

— Vous n'avez rien à craindre. Si j'utilise votre cas, on ne pourra pas reconnaître qu'il s'agit de vous.

— Êtes-vous déjà allée au Four Seasons? Connaissez-vous le bar de cet hôtel?

— Non, mais je peux l'imaginer.

— J'y attendais mon client lorsqu'une femme est venue s'asseoir dans le fauteuil juste à côté du mien. «Ça vous plairait, me demanda-t-elle, de commander du champagne pour nous deux?» Puis elle se mit à rire, de ce rire féminin irrésistible et charmeur. Je sais que les femmes d'aujourd'hui ne se gênent plus pour accoster un homme, mais c'était la première fois que je me trouvais dans une telle situation et, croyez-moi, c'était la plus belle femme que j'avais jamais vue. Julie, ma femme, est une vraie beauté, mais cette femme était encore plus belle. J'ai bientôt compris qu'elle m'avait abordé parce qu'une amie lui en avait lancé le défi. Les deux femmes, installées à quelques tables de la mienne, m'avaient observé pendant que j'attendais mon client. Janey — c'est son nom — est un véritable sac à malices; non seulement elle est très belle, mais elle est aussi très intelligente. Elle est correspondante à Los Angeles pour un réseau de télévision et a déjà été attachée de presse au bureau du gouverneur.

— Alors, vous l'avez commandé ce champagne?

— Je lui ai dit que j'avais un rendez-vous important mais que si son amie et elle étaient disponibles plus tard, je prendrais un verre en leur compagnie.

— Aviez-vous l'intention de coucher avec elle?

— Je n'ai pas eu le temps d'y penser, mon client est arrivé à ce moment-là. Mais ce que je peux vous dire, c'est que j'avais une érection, la première depuis des mois, et que c'est elle qui en était la cause.

— Mais cela ne vous était-il pas déjà arrivé en côtoyant d'autres femmes, sans pour autant succomber à votre désir?

— Non, cela ne m'était jamais arrivé. Il ne m'était même jamais venu à l'idée de tromper ma femme; je n'avais pas ce besoin. J'aime Julie. Je ne sais pas comment expliquer ce qui s'est passé... Je crois que j'ai eu envie de vérifier à nouveau mes capacités. Avec Julie, je ne bandais pas et je ne savais pas pourquoi.

— Alors vous avez pris le risque d'être infidèle pour vous assurer que vous étiez toujours en état de baiser, dis-je en lui montrant que je comprenais son problème.

— Oui, c'était à ce point important pour moi, admit-il. Tout ce que je peux vous dire, c'est que j'avais besoin de savoir que j'étais un homme. C'était pour moi une question vitale.

— Que s'est-il passé ensuite?

— Le client a approuvé le projet et nous avons signé le contrat. Puis je suis monté à ma chambre pour téléphoner à Janey et lui donner rendez-vous au bar. J'avais maintenant deux victoires à célébrer: une érection et un nouveau contrat. Mais au moment de prendre l'appareil, je me suis arrêté. J'ai sorti de ma poche la photo de Julie que je garde toujours sur moi et je l'ai regardée longuement.»

Il se tut et je ne dis rien, espérant qu'il poursuive sans que j'aie à intervenir.

«Je suis à la fois sérieux et bagarreur, reprit-il, toujours en quête d'un défi à relever, d'un obstacle à franchir. J'ai réfléchi et je me suis dit que mes problèmes sexuels venaient de ce que j'accordais trop d'importance à mon travail et pas assez de temps à Julie et à notre relation. J'ai soudain compris que, dès mon retour à la maison, tout reviendrait à la normale. Je pourrais tout expliquer à Julie. Elle a toujours été très près de moi, même quand son travail l'accapare. Elle me soutient et me comble à un point que je n'aurais jamais cru possible et j'ose espérer qu'elle trouve auprès de moi le même support.»

Je souris, charmée par une telle intensité et un tel sérieux. Il sourit à son tour.

«Assis dans ma chambre, poursuivit-il, je pensais à Julie, à toutes ces années où je n'ai pas eu la tentation d'être infidèle, parce qu'elle était toujours là, près de moi. J'ai encore tant à découvrir en elle. Il faut que j'explore toutes les profondeurs de son univers intérieur. J'ai l'incomparable privilège de vraiment connaître une autre personne. Pour moi, le mariage, c'est la plus grande quête, le plus beau risque, la plus extraordinaire aventure.

— Et que deviennent, dans tout cela, vos propres défis, vos propres ambitions?

— Je resterai toujours un gars qui aime les défis et la compétition. Ça, je le sais. Mais je suis aussi un être humain; le plus grand bonheur que je puisse vivre, c'est de partager ma vie avec un autre être humain et, si j'ai de la chance, avec des enfants.»

Nous restâmes quelques instants en silence à regarder briller au soleil les avions argentés qui attendaient en bout de piste le moment de s'envoler.

«Qu'avez-vous fait de l'autre femme? demandai-je alors doucement.

— J'ai téléphoné à Julie, mais elle n'était pas à la maison. Ensuite, j'ai appelé Janey et je lui ai demandé de me rencontrer au bar.»

Je fronçai les sourcils; les choses allaient se gâter.

«J'ai commandé du champagne. Puis je lui ai expliqué que j'étais un homme marié et fidèle et que je serais incapable de tromper Julie. Je lui ai dit qu'en tant que femme, elle aimerait certainement avoir un mari comme ça. Quand j'y repense... J'ai dû passer à ses yeux pour un grand sentimental, mais j'avais besoin d'exprimer à quel point tout cela était important pour moi. En général, je sais juger les gens au premier coup d'œil et, au fond de moi, je savais que cette femme comprenait ce dont je parlais.

— Vous connaissez bien les femmes, dis-je.

— Personne ne les connaît vraiment, dit-il en esquissant un large sourire qui lui donna l'air d'un chat qui vient de croquer un oiseau, mais j'en connais beaucoup qui adorent les bijoux.

— Et moi, lui dis-je en le regardant droit dans les yeux, je sais que vous avez une bague dans la poche de votre veste.

— Vous n'êtes pas journaliste, vous êtes voyante!

Je lui expliquai que je l'avais vu sortir de la boutique de M. Wolfe et que le bijoutier m'avait décrit l'extraordinaire diamant.

«Mais qu'y avez-vous fait inscrire au juste? lui demandai-je. Comment l'idée vous est-elle venue de faire graver un diamant?

— J'ai eu cette idée dès que j'ai aperçu la bague dans la vitrine, le lendemain de l'incident de l'hôtel. Un diamant, c'est très beau, très résistant; c'est une pierre qui symbolise bien le mariage. J'ai eu envie de dire à Julie que c'est comme ça que je percevais notre union, de lui faire savoir ce qu'elle était pour moi.

— Qu'y avez-vous fait inscrire?

— La pierre n'est pas plus grosse qu'une boule de caviar. Je suis graphiste; il fallait bien que je trouve une solution.»

Il prit mon stylo et inscrivit sur mon calepin de notes: LOVEX∞.

«LOVE suivi du signe de multiplication et du signe de l'infini: l'amour qui se multiplie à l'infini. Je t'aime pour toujours. C'est ça que je veux dire à Julie. Je ne pouvais pas le faire graver sur le mont Everest, alors j'ai pensé qu'un diamant, ça serait quand même bien.»

Peu de temps après ma rencontre avec Richard Leahy, je fis la connaissance lors d'une réception d'une femme à qui je racontai l'histoire du diamant. Je n'avais pu m'empêcher, dès qu'on nous eut présentées l'une à l'autre, de la complimenter sur la broche ancienne qu'elle portait, après quoi elle m'avait avoué être une maniaque des bijoux. Je lui fis donc part de ma rencontre avec Richard et de notre conversation à l'aéroport; ce qui nous amena à parler des bijoux, et des hommes.

«J'ai obtenu mon divorce il y a neuf semaines, dit-elle, et je vis une période difficile. Les hommes intéressants sont rares; ou bien ils sont mariés, ou bien ils sont homosexuels.

— C'est ce que disent toutes les femmes, dis-je en approuvant d'un signe de tête.

— Tiens, voilà justement mon ex-mari qui entre, dit-elle avec une légère émotion dans la voix.

— Désirez-vous que nous passions dans l'autre pièce? proposai-je.

— Non», répondit-elle sans détacher son regard de l'homme et de la magnifique rousse qui l'accompagnait, dont la minijupe en cuir et le tricot moulant révélaient tous les charmes.

Après que l'hôtesse eut indiqué à la femme où elle pouvait déposer son manteau, l'ex-mari, resté seul, s'avança droit vers nous.

«Diane, dit-il un peu mal à l'aise, mais sans pourtant éviter son regard. Je suis content de te voir; je pensais bien te rencontrer ici.»

Je pouvais sentir l'extrême tension des liens qui les unissaient encore.

«Veuillez m'excuser, dis-je après qu'elle nous eut présentés, je vais aller me chercher un autre verre. Je vous retrouverai tout à l'heure, Diane.»

Je quittai la soirée peu de temps après, mais je rencontrai Diane une semaine plus tard chez Tiffany, où toutes les deux nous cherchions un cadeau de mariage pour des amis. Nous rîmes de bon cœur du hasard qui nous réunissait dans une bijouterie et finalement nous allâmes prendre ensemble un cappuccino.

Cette première conversation avec Diane démontre clairement qu'une femme, même intelligente et réfléchie, peut être ignorante des besoins de son ego et de celui de son conjoint au point d'en arriver à un divorce désastreux. Toutefois, lors d'une deuxième conversation, deux mois plus tard, Diane me raconta comment elle en était venue à une décision qui, comme moi, sans doute, vous surprendra et vous réjouira.

Une fois attablées devant nos cafés, je demandai à Diane:

« Quelle profession exerce Gérard, votre ex-mari?

— Il est dans l'import-export. Il n'a que trente-six ans, mais il a très bien réussi. Quand nous nous sommes rencontrés, je terminais mes études collégiales et lui fréquentait déjà l'école d'administration. Six mois plus tard, nous étions mariés.

— Je l'imaginais plutôt vedette de cinéma; c'est un très bel homme.

— Il a fait plusieurs films publicitaires pour la télé quand il a eu besoin d'argent pour payer ses études.

— Était-il un mari fidèle, selon vous?

— Il y a toujours eu des femmes, et des hommes, qui tournaient autour de lui, surtout quand il faisait ces trucs pour la télé. Moi, ça me rendait folle, mais j'ai compris qu'il faudrait m'y habituer. Il m'a toujours juré n'avoir jamais accepté aucune de ces avances, et je l'ai cru.

— Qu'est-ce qui a causé votre séparation, croyez-vous?

— En fait, c'est une autre femme, admit-elle. Il m'a dit qu'il n'y avait jamais eu de rapports sexuels entre eux et je suis certaine que c'est vrai.

—J'ai besoin d'en savoir plus, dis-je en souriant, et je commandai d'autres gâteaux.

—Un jour, j'ai trouvé dans la poche de sa veste la facture... d'un bijou. Je n'avais jamais reçu de cadeau de chez Cartier. J'ai mis Gérard devant les faits et il a dû admettre que le bijou était pour cette autre femme... Or, une des choses que j'avais à lui reprocher comme mari, c'était d'avoir abandonné tout romantisme. Il avait même cessé de me faire des cadeaux, comme il en avait longtemps eu l'habitude.

—Continuez, dis-je après un moment de silence.

—Côté sexe, nous avions toujours eu des rapports extraordinaires. Mais même ça, ça n'allait plus. Il était trop fatigué, trop occupé à mettre sur pied son entreprise, trop vidé par ses nombreux voyages. Toutes les excuses étaient bonnes. Nous faisions l'amour une fois par mois et je sentais alors qu'il me faisait une faveur, qu'il n'était pas tout à fait là. Alors, quand j'ai trouvé cette facture de chez Cartier, j'ai été complètement affolée; j'ai perdu les pédales, quoi! J'ai su tout de suite qu'il y avait une autre femme et je me suis rendue directement chez un avocat pour demander le divorce.

—Avez-vous discuté de tout cela avec lui avant de consulter un avocat?

—Nous avons eu une longue conversation, mais qui n'a rien changé; pour moi, toute cette histoire n'avait aucun sens. J'étais tellement en colère que je n'entendais rien de ce qu'il disait. Il parlait de jus d'orange; il disait qu'il aurait voulu que je lui apporte un jus d'orange au lit, le matin. À ce que j'ai compris, il avait passé la nuit chez cette femme, mais il avait décidé de ne pas faire l'amour avec elle, parce qu'en faisant cela il m'aurait trahie. Le lendemain matin, elle lui a apporté un jus d'orange au lit, et c'est pour cela qu'il est allé lui acheter je ne sais trop quoi chez Cartier.

—Un instant, dis-je. Nous sommes à la fin des années quatre-vingt; votre réaction me surprend. Vous n'avez pas parlé avec lui de ce qui s'est passé? Il n'avait pas fait l'amour avec cette femme et, malgré cela, vous avez demandé le divorce? N'avez-vous pas pensé consulter un thérapeute?

—Il ne voulait pas parler, pas plus à moi qu'à un thérapeute. La seule chose qui semblait avoir quelque importance pour lui, c'était ce maudit jus d'orange. De toute façon, il n'a jamais parlé beaucoup. J'en avais assez. Il refusait de se confier à moi. Moi aussi, je travaille très fort, vous savez. Je ne trouvais pas normal que ce soit moi qui aie à faire tous les efforts pour maintenir cette relation. J'en ai eu assez d'essayer de le faire parler, assez d'être celle qui veut faire l'amour, assez de...

— Me permettriez-vous de vous expliquer quelque chose»? l'interrompis-je.

Je lui exposai alors la théorie du docteur Train sur les besoins de l'ego.

«Il semble, dis-je, que l'ego de votre mari avait grand besoin d'être nourri et que c'est exactement ce que, symboliquement, cette femme a fait en lui apportant un verre de jus d'orange.»

Je repensai en disant cela à l'aventure de Christian avec Gina Walker qui lui servait du bœuf à la mode en lui disant qu'il était un brillant homme d'affaires et le meilleur des amants. Je racontai cette histoire à Diana.

«Voilà un homme typique à plus d'un point de vue, repris-je ensuite en parlant de son mari. Il parle très peu, il travaille beaucoup, il se sent souvent fatigué et chaque jour, en grimpant les échelons, il fait subir à son ego toutes sortes de mauvais traitements. Là où il s'éloigne de la norme, c'est qu'il est fort séduisant et que les femmes sont pour ainsi dire à ses pieds. Mais il vous aime tant qu'il refuse toutes les avances, même si — vous le dites vous-même — elles ne manquent pas. Il m'aurait paru normal qu'il fasse l'amour avec la femme au jus d'orange; mais il vous aimait trop pour agir ainsi.

— Par contre, il s'est permis de lui acheter un cadeau extravagant, ce qu'il n'aurait pas fait pour moi. Je n'ai pas besoin de cadeaux, moi, mais d'attention. J'existe, moi aussi!

— Essayez de voir les choses autrement. Dites-vous que ce cadeau, il l'a offert à cette femme pour la remercier d'avoir compris son besoin. Il aurait pu la remercier en lui faisant l'amour, mais alors il vous aurait trahie. En somme, il avait un message à vous transmettre et c'est, je crois, ce qu'il a fait en oubliant négligemment la facture du bijou dans la poche de sa veste. Tout cela, à première vue, ressemble à de la psychologie de pacotille, mais vous savez bien qu'un homme n'est pas assez fou pour laisser traîner un papier compromettant à moins qu'il ne veuille ainsi signifier quelque chose. Vous vous souvenez de cet homme au diamant dont je vous ai parlé? Pendant des mois, il n'avait pas eu de relations sexuelles avec sa femme parce qu'il craignait de ne pas avoir d'érection. Cette crainte provoquait chez lui une tension telle qu'il avait effectivement des problèmes et que, peu à peu, il s'est éloigné de sa femme. Peut-être Gérard a-t-il vécu un problème du même ordre?

— Je n'avais jamais considéré les choses sous cet angle.

— Me permettez-vous d'aller un peu plus loin?

— Bien sûr, pourquoi pas? dit-elle avec un grand sourire.

— Mon intuition me dit que vous l'aimez encore.

— Peut-être que je l'aime, mais cela ne signifie pas que nous pourrions vivre ensemble. D'ailleurs, nous sommes divorcés.

— Comment le divorce s'est-il passé?

— Étonnamment bien. Tout s'est fait à l'amiable; il est parti, simplement. Nous tenions tous les deux à nous séparer sans dispute ni bagarre et c'est ce que nous avons fait. Ce fut bref. Depuis, il m'a téléphoné trois ou quatre fois pour m'inviter à dîner, mais j'ai refusé. Pourquoi réveiller une histoire qui de toute façon n'a pas d'avenir?

— Ainsi, vous vous êtes quittés sans trop de rancœur. Il est même possible qu'il vous aime encore, n'est-ce pas? Avez-vous rencontré, depuis, un homme qui puisse le remplacer?

— Hmmm…, fit-elle sans se compromettre.

Puis elle ajouta:

«Mais je suis certaine qu'il couche avec plein de femmes. Vous avez remarqué celle qui l'accompagnait, l'autre soir?

— Pourquoi ne le ferait-il pas, si son ego s'en trouve bien? Vous savez, après toutes mes recherches, j'en suis arrivée à la conclusion que si une femme tient à vivre une relation durable, elle doit elle-même en assumer la responsabilité. Sous bien des aspects, ce n'est pas juste; mais c'est ainsi. Une femme qui veut connaître le type d'amour dont vous parlez devra elle-même soutenir la relation ou, du moins, lui donner le coup d'envoi. Téléphonez-lui, vous verrez bien ce qui arrivera.»

Diane enregistra ce que je venais de dire et fit habilement dévier la conversation. Elle travaillait actuellement, me dit-elle, à la publication d'une série de guides de voyages et tenait absolument à ce que je lui dise quelle était ma ville préférée et si j'avais des restaurants à lui recommander.

Je pensai beaucoup à Diane après cette conversation. Gérard et elle sont l'exemple type du malentendu qui persiste entre hommes et femmes: elle attend de lui affection, romantisme, intimité et fidélité; lui, pour répondre à ses attentes à elle, a besoin qu'elle comble ses besoins sexuels et émotionnels. Diane est une femme moderne, libérée; elle se refuse à satisfaire les caprices d'un homme et à lui servir son jus d'orange au lit s'il ne lui donne pas ce dont elle a besoin.

C'était l'impasse. Diane se disait que c'était à Gérard de faire les premiers pas pour resserrer leurs liens, étant donné que c'était lui qui avait perdu son côté romantique et qui fuyait l'intimité. Lui, de son côté, incapable d'exprimer ses besoins, avait envoyé un message ambigu en négligeant de dissimuler une facture compromettante et en bredouillant une histoire de jus d'orange quand Diane lui avait demandé de s'expliquer.

Environ quatre mois après ma conversation avec Diane, une amie me demanda: «As-tu su que Diane s'était remariée?

— Non, répondis-je. Quand je l'ai vue, la dernière fois, elle ne fréquentait personne. Qui est l'heureux élu?

— Gérard, son ex.»

Je raccrochai et composai tout de suite le numéro de Diane à son bureau.

«Je vous pose la question à la fois à titre personnel et professionnel: pourquoi vous êtes-vous remariée avec Gérard?»

Elle rit et me proposa de me rencontrer plus tard devant un café.

Nous nous rencontrâmes donc devant un autre cappuccino et Diane me raconta ce qui s'était passé depuis notre dernier entretien.

«Tout ce que vous m'avez expliqué l'autre fois, dit-elle, n'est pas tombé dans l'oreille d'une sourde. J'ai beaucoup réfléchi, par la suite, au fameux jus d'orange et à ce qu'il symbolisait. Je n'avais jamais vraiment compris pourquoi Gérard et moi avions divorcé. À cette époque, j'étais tellement en colère que je n'avais pas pris le temps de réfléchir aux événements, ni de les analyser. Finalement, je lui ai téléphoné et nous avons dîné ensemble.

«La soirée s'est terminée au lit et ça a été extraordinaire! Il est resté pour la nuit et le lendemain matin je lui ai pressé un jus d'orange frais.

«Je me suis dit qu'il était bien facile de rendre un homme heureux. Les matins sont pénibles pour Gérard; il a vraiment beaucoup de difficulté à se réveiller et à se mettre en route. Il lui faut un petit coup de pouce. Le jus d'orange fraîchement pressé est la marque d'une tendresse toute féminine que je lui refusais, je crois, parce que je lui en voulais de ne pas me donner ce que j'attendais de lui. J'aurais voulu que toute la tendresse et le romantisme dont j'avais tant envie viennent d'abord de lui. Aujourd'hui, j'ai compris. Le jus d'orange lui fournit une dose quotidienne d'amour et de tendresse; en retour, nos échanges sexuels se sont grandement améliorés et nos rapports sont beaucoup plus ouverts. Je n'ai pas besoin de danser devant lui en petite tenue pour l'exciter, mais s'il le voulait, je ne dirais peut-être pas non. Je le vois sous un nouveau jour et lui me traite d'une façon beaucoup plus affectueuse.

— Comment en êtes-vous venus au remariage?

— Après cette nuit-là, il n'est jamais retourné à son appartement. En fait, je lui ai raconté notre conversation et l'histoire de l'homme au diamant. Un mois plus tard, il est arrivé à la maison avec une petite boîte qui contenait une bague.»

Elle fit une pause et sourit.

— Elle n'était pas gravée. C'était un simple anneau d'or accompagné d'une carte qu'il avait insérée dans le couvercle de la boîte et sur laquelle était écrit: Veux-tu m'épouser? Alors, pour la deuxième fois, nous nous sommes mariés à l'hôtel de ville. Puis nous sommes rentrés à la maison et nous avons célébré ça au champagne... et au jus d'orange!»

TABLE DES MATIÈRES

CHAPITRE UN
Enquête sur la fidélité 9

CHAPITRE DEUX
Les termes de l'équation 17

CHAPITRE TROIS
La fidélité, c'est du sport! 23

CHAPITRE QUATRE
L'un drague, l'autre pas 29

CHAPITRE CINQ
Chambre d'hôtel à Chicago 45

CHAPITRE SIX
L'amant d'un soir, l'amant à long terme et
le chasseur intermittent 59

CHAPITRE SEPT
Les occasions qui font le larron 71

CHAPITRE HUIT
L'autre femme: mais qu'est-ce qu'il lui trouve? 79

CHAPITRE NEUF
Le petit garçon, l'adolescent et l'adulte 89

CHAPITRE DIX
Le moi secret 95

CHAPITRE ONZE
Cœurs affamés 101

CHAPITRE DOUZE
Comment en faire un homme fidèle? 113

CHAPITRE TREIZE
Les étapes de l'amour 125

CHAPITRE QUATORZE
Les phases critiques 131

CHAPITRE QUINZE
Comment satisfaire un homme sur le plan sexuel 143

CHAPITRE SEIZE
Six «erreurs» qu'on nous reproche 153

CHAPITRE DIX-SEPT
«Jamais je ne te pardonnerai» 163

CHAPITRE DIX-HUIT
Diamant et jus d'orange 173

Achevé   Imprimerie
d'imprimer Gagné Ltée
au Canada Louiseville

Ouvrages parus chez les éditeurs du groupe Sogides

LES ÉDITIONS DE L'HOMME

AFFAIRES

* **Acheter une franchise,**
  Levasseur, Pierre
* **Bourse, La,** Brown, Mark
* **Comprendre le marketing,**
  Levasseur, Pierre
* **Devenir exportateur,** Levasseur, Pierre
  Étiquette des affaires, L',
  Jankovic, Elena
* **Faire son testament soi-même,**
  Poirier, Me Gérald et
  Lescault-Nadeau, Martine
  Finances, Les, Hutzler, Laurie H.
  Gérer ses ressources humaines,
  Levasseur, Pierre

Gestionnaire, Le, Colwell, Marian
Informatique, L', Cone, E. Paul
* **Lancer son entreprise,**
  Levasseur, Pierre
  Leadership, Le, Cribbin, James
  Meeting, Le, Holland, Gary
  Mémo, Le, Reinold, Cheryl
* **Ouvrir et gérer un commerce de détail,**
  Roberge, C.-D. et Charbonneau, A.
  Patron, Le, Reinold, Cheryl
* **Stratégies de placements,**
  Nadeau, Nicole

ANIMAUX

Art du dressage, L', Chartier, Gilles
Cheval, Le, Leblanc, Michel
Chien dans votre vie, Le, Margolis, M. et
  Swan, C.
Éducation du chien de 0 à 6 mois, L',
  DeBuyser, Dr Colette et
  Dehasse, Dr Joël
* **Encyclopédie des oiseaux,**
  Godfrey, W. Earl
  Guide de l'oiseau de compagnie, Le,
  Dr R. Dean Axelson
  Guide des oiseaux, Le, T.1,
  Stokes, W. Donald
  Guide des oiseaux, Le, T.2,
  Stokes, W. Donald et
  Stokes, Q. Lilian

* **Mon chat, le soigner, le guérir,**
  D'Orangeville, Christian
  Observations sur les mammifères,
  Provencher, Paul
* **Papillons du Québec, Les,**
  Veilleux, Christian et
  Prévost, Bernard
  Petite ferme, T.1, Les animaux,
  Trait, Jean-Claude
  Vous et vos oiseaux de compagnie,
  Huard-Viau, Jacqueline
  Vous et vos poissons d'aquarium,
  Ganiel, Sonia
  Vous et votre beagle, Eylat, Martin
  Vous et votre berger allemand,
  Eylat, Martin

ANIMAUX

Vous et votre boxer, Herriot, Sylvain
Vous et votre braque allemand,
Eylat, Martin
Vous et votre caniche, Shira, Sav
Vous et votre chat de gouttière,
Mamzer, Annie
Vous et votre chat tigré, Eylat, Odette
Vous et votre chihuahua, Eylat, Martin
Vous et votre chow-chow,
Pierre Boistel
Vous et votre cocker américain,
Eylat, Martin
Vous et votre collie, Éthier, Léon
Vous et votre dalmatien, Eylat, Martin
Vous et votre danois, Eylat, Martin
Vous et votre doberman, Denis, Paula
Vous et votre fox-terrier, Eylat, Martin
Vous et votre golden retriever,
Denis, Paula
Vous et votre husky, Eylat, Martin

Vous et votre labrador,
Van Der Heyden, Pierre
Vous et votre lévrier afghan,
Eylat, Martin
Vous et votre lhassa apso,
Van Der Heyden, Pierre
Vous et votre persan, Gadi, Sol
Vous et votre petit rongeur,
Eylat, Martin
Vous et votre schnauzer, Eylat, Martin
Vous et votre serpent, Deland, Guy
Vous et votre setter anglais,
Eylat, Martin
Vous et votre shih-tzu, Eylat, Martin
Vous et votre siamois, Eylat, Odette
Vous et votre teckel, Boistel, Pierre
Vous et votre terre-neuve,
Pacreau, Marie-Edmée
Vous et votre yorkshire,
Larochelle, Sandra

ARTISANAT/BRICOLAGE

Art du pliage du papier, L',
Harbin, Robert
* **Artisanat québécois, T.1,** Simard, Cyril
* **Artisanat québécois, T.2,** Simard, Cyril
* **Artisanat québécois, T.3,** Simard, Cyril
* **Artisanat québécois, T.4,** Simard, Cyril
et Bouchard, Jean-Louis
* **Construire des cabanes d'oiseaux,**
Dion, André

* **Encyclopédie de la maison québécoise,**
Lessard, Michel et Villandré, Gilles
* **Encyclopédie des antiquités,**
Lessard, Michel et Marquis, Huguette
* **J'apprends à dessiner,** Nassh, Joanna
Taxidermie moderne, La, Labrie, Jean
* **Tissage, Le,** Grisé-Allard, Jeanne et
Galarneau, Germaine
Vitrail, Le, Bettinger, Claude

BIOGRAPHIES

* **Brian Orser - Maître du triple axel,**
Orser, Brian et Milton, Steve
* **Dans la fosse aux lions,** Chrétien, Jean
* **Dans la tempête,** Lachance, Micheline
* **Duplessis, T.1 - L'ascension,**
Black, Conrad
* **Duplessis, T.2 - Le pouvoir,**
Black, Conrad
* **Ed Broadbent - La conquête obstinée
du pouvoir,** Steed, Judy
* **Establishment canadien, L',**
Newman, Peter C.
* **Larry Robinson,** Robinson, Larry et
Goyens, Chrystian
* **Michel Robichaud - Monsieur Mode,**
Charest, Nicole

* **Monopole, Le,** Francis, Diane
* **Nouveaux riches, Les,**
Newman, Peter C.
* **Paul Desmarais - Un homme et son em-
pire,** Greber, Dave
* **Plamondon - Un cœur de rockeur,**
Godbout, Jacques
* **Prince de l'Église, Le,** Lachance, Micheline
* **Québec Inc.,** Fraser, M.
* **Rick Hansen - Vivre sans frontières,**
Hansen, Rick et Taylor, Jim
* **Saga des Molson, La,** Woods, Shirley
* **Sous les arches de McDonald's,**
Love, John F.
* **Trétiak, entre Moscou et Montréal,**
Trétiak, Vladislav

BIOGRAPHIES

* Une femme au sommet - Son
   excellence Jeanne Sauvé,
   Woods, Shirley E.

CARRIÈRE/VIE PROFESSIONNELLE

* Choix de carrières, T.1, Milot, Guy
* Choix de carrières, T.2, Milot, Guy
* Choix de carrières, T.3, Milot, Guy
  Comment rédiger son curriculum vitae,
   Brazeau, Julie
  Guide du succès, Le, Hopkins, Tom
* Je cherche un emploi, Brazeau, Julie
  Parlez pour qu'on vous écoute,
   Brien, Michèle

  Relations publiques, Les, Doin, Richard
   et Lamarre, Daniel
  Techniques de vente par téléphone,
   Porterfield, J.-D.
* Test d'aptitude pour choisir sa carrière,
   Barry, Linda et Gale
  Une carrière sur mesure,
   Lemyre-Desautels, Denise
  Vente, La, Hopkins, Tom

CUISINE

* À table avec Sœur Angèle,
   Sœur Angèle
* Art d'apprêter les restes, L',
   Lapointe, Suzanne
  Barbecue, Le, Dard, Patrice
* Biscuits, brioches et beignes,
   Saint-Pierre, A.
* Boîte à lunch, La,
   Lambert-Lagacé, Louise
  Brunches et petits déjeuners en fête,
   Bergeron, Yolande
  100 recettes de pain faciles à réaliser,
   Saint-Pierre, Angéline
* Confitures, Les, Godard, Misette
  Congélation de A à Z, La, Hood, Joan
  Congélation des aliments, La,
   Lapointe, Suzanne
  Conserves, Les, Sœur Berthe
  Crème glacée et sorbets, Lebuis, Yves
   et Pauzé, Gilbert
  Crêpes, Les, Letellier, Julien
  Cuisine au wok, Solomon, Charmaine
  Cuisine aux micro-ondes 1 et
   2 portions, Marchand, Marie-Paul
* Cuisine chinoise traditionnelle, La,
   Chen, Jean
* Cuisine créative Campbell, La,
   Cie Campbell
  Cuisine facile aux micro-ondes,
   Saint-Amour, Pauline
* Cuisine joyeuse de Sœur Angèle, La,
   Sœur Angèle
  Cuisine micro-ondes, La, Benoît, Jehane

* Cuisine santé pour les aînés,
   Hunter, Denyse
  Cuisiner avec le four à convection,
   Benoît, Jehane
* Cuisiner avec les champignons sau-
   vages du Québec, Leclerc, Claire L.
  Faire son pain soi-même,
   Murray Gill, Janice
* Faire son vin soi-même,
   Beaucage, André
  Fine cuisine aux micro-ondes, La,
   Dard, Patrice
  Fondues et flambées de maman
   Lapointe, Lapointe, Suzanne
  Fondues, Les, Dard, Patrice
  Je me débrouille en cuisine,
   Richard, Diane
  Livre du café, Le, Letellier, Julien
  Menus pour recevoir, Letellier, Julien
  Muffins, Les, Clubb, Angela
  Nouvelle cuisine micro-ondes I, La,
   Marchand, Marie-Paul et
   Grenier, Nicole
  Nouvelles cuisine micro-ondes II, La,
   Marchand, Marie-Paul et
   Grenier, Nicole
  Omelettes, Les, Letellier, Julien
  Pâtes, Les, Letellier, Julien
* Pâtisserie, La, Bellot, Maurice-Marie
* Recettes au blender, Huot, Juliette
* Recettes de gibier, Lapointe, Suzanne
* Robot culinaire, Le, Martin, Pol

DIÉTÉTIQUE

Combler ses besoins en calcium, Hunter, Denyse

* Compte-calories, Le, Brault-Dubuc, M. et Caron Lahaie, L.
* Cuisine du monde entier avec Weight Watchers, Weight Watchers

Cuisine sage, Une, Lambert-Lagacé, Louise

Défi alimentaire de la femme, Le, Lambert-Lagacé, Louise

* Diète Rotation, La, Katahn, Dr Martin
* Diététique dans la vie quotidienne, Lambert-Lagacé, Louise

Livre des vitamines, Le, Mervyn, Leonard

Menu de santé, Lambert-Lagacé, Louise

Oubliez vos allergies, et... bon appétit, Association de l'information sur les allergies

* Petite et grande cuisine végétarienne, Bédard, Manon
* Plan d'attaque Weight Watchers, Le, Nidetch, Jean
* Plan d'attaque Plus Weight Watchers, Le, Nidetch, Jean
* Régimes pour maigrir, Beaudoin, Marie-Josée

Sage bouffe de 2 à 6 ans, La, Lambert-Lagacé, Louise

* Weight Watchers - Cuisine rapide et savoureuse, Weight Watchers
* Weight Watchers - Agenda 85 - Français, Weight Watchers
* Weight Watchers - Agenda 85 - Anglais, Weight Watchers
* Weight Watchers - Programme - Succès Rapide, Weight Watchers

ENFANCE

* Aider son enfant en maternelle, Pedneault-Pontbriand, Louise

Années clés de mon enfant, Les, Caplan, Frank et Thérèsa

Art de l'allaitement maternel, L', Ligue internationale La Leche

Avoir un enfant après 35 ans, Robert, Isabelle

Bientôt maman, Whalley, J., Simkin, P. et Keppler, A.

Comment nourrir son enfant, Lambert-Lagacé, Louise

Deuxième année de mon enfant, La, Caplan, Frank et Thérèsa

Développement psychomoteur du bébé, Calvet, Didier

Douze premiers mois de mon enfant, Les, Caplan, Frank

* En attendant notre enfant, Pratte-Marchessault, Yvette
* Enfant unique, L', Peck, Ellen

Évoluer avec ses enfants, Gagné, Pierre-Paul

Exercices aquatiques pour les futures mamans, Dussault, J. et Demers, C.

* Femme enceinte, La, Bradley, Robert A.

* Futur père, Pratte-Marchessault, Yvette

Jouons avec les lettres, Doyon-Richard, Louise

Langage de votre enfant, Le, Langevin, Claude

Mal des mots, Le, Thériault, Denise

Manuel Johnson et Johnson des premiers soins, Le, Rosenberg, Dr Stephen N.

Massage des bébés, Le, Auckette, Amédia D.

Mon enfant naîtra-t-il en bonne santé? Scher, Jonathan et Dix, Carol

* Pour bébé, le sein ou le biberon? Pratte-Marchessault, Yvette
* Pour vous future maman, Sekely, Trude

Préparez votre enfant à l'école, Doyon-Richard, Louise

Psychologie de l'enfant de 0 à 10 ans, Cholette-Pérusse, Françoise

Respirations et positions d'accouchement, Dussault, Joanne

Soins de la première année de bébé, Les, Kelly, Paula

Tout se joue avant la maternelle, Ibuka, Masaru

ÉSOTÉRISME

Avenir dans les feuilles de thé, L,
   Fenton, Sasha
Graphologie, La, Santoy, Claude
Interprétez vos rêves, Stanké, Louis
Lignes de la main, Stanké, Louis

Lire dans les lignes de la main,
   Morin, Michel
Vos rêves sont des miroirs, Cayla, Henri
Votre avenir par les cartes,
   Stanké, Louis

HISTOIRE

* Arrivants, Les, Collectif
* Civilisation chinoise, La, Guay, Michel
* Or des cavaliers thraces, L',
      Palais de la civilisation

* Samuel de Champlain,
      Armstrong, Joe C.W.

JARDINAGE

* Chasse-insectes pour jardins, Le,
      Michaud, O.
* Comment cultiver un jardin potager,
      Trait, J.-C.
* Encyclopédie du jardinier,
      Perron, W. H.
* Guide complet du jardinage,
      Wilson, Charles
   J'aime les azalées, Deschênes, Josée
   J'aime les cactées, Lamarche, Claude
   J'aime les rosiers, Pronovost, René
   J'aime les tomates, Berti, Victor

   J'aime les violettes africaines,
      Davidson, Robert
   Jardin d'herbes, Le, Prenis, John
* Je me débrouille en aménagement
      extérieur, Bouillon, Daniel et
      Boisvert, Claude
* Petite ferme, T.2- Jardin potager,
      Trait, Jean-Claude
* Plantes d'intérieur, Les, Pouliot, Paul
* Techniques de jardinage, Les,
      Pouliot, Paul
   Terrariums, Les, Kayatta, Ken

JEUX/DIVERTISSEMENTS

* Améliorons notre bridge,
      Durand, Charles
* Bridge, Le, Beaulieu, Viviane
* Clés du scrabble, Les, Sigal, Pierre A.
   Dictionnaire des mots croisés, noms
      communs, Lasnier, Paul
   Dictionnaire des mots croisés, noms
      propres, Piquette, Robert
   Dictionnaire raisonné des mots croisés,
      Charron, Jacqueline

* Jouons ensemble, Provost, Pierre
   Livre des patiences, Le, Bezanovska, M.
      et Kitchevats, P.
   Monopoly, Orbanes, Philip
* Ouverture aux échecs, Coudari, Camille
* Scrabble, Le, Gallez, Daniel
   Techniques du billard, Morin, Pierre

LINGUISTIQUE

Anglais par la méthode choc, L',
   Morgan, Jean-Louis
J'apprends l'anglais, Sillicani, Gino et
   Grisé-Allard, Jeanne

* Secrétaire bilingue, La, Lebel, Wilfrid

LIVRES PRATIQUES

* Acheter ou vendre sa maison,
  Brisebois, Lucille
* Assemblées délibérantes, Les,
  Girard, Francine
  Chasse-insectes dans la maison, Le,
  Michaud, O.
  Chasse-taches, Le, Cassimatis, Jack
* Comment réduire votre impôt,
  Leduc-Dallaire, Johanne
* Guide de la haute-fidélité, Le,
  Prin, Michel
  Je me débrouille en aménagement
  intérieur, Bouillon, Daniel et
  Boisvert, Claude
  Livre de l'étiquette, Le, du Coffre,
  Marguerite
* Loi et vos droits, La,
  Marchand, Me Paul-Émile
* Maîtriser son doigté sur un clavier,
  Lemire, Jean-Paul
* Mécanique de mon auto, La, Time-Life
* Mon automobile, Collège Marie-Victorin
  et Gouv. du Québec

  Notre mariage (étiquette et
  planification),
  du Coffre, Marguerite
* Petits appareils électriques,
  Collaboration
  Petit guide des grands vins, Le,
  Orhon, Jacques
* Piscines, barbecues et patio,
  Collaboration
* Roulez sans vous faire rouler, T.3,
  Edmonston, Philippe
  Séjour dans les auberges du Québec,
  Cazelais, Normand et
  Coulon, Jacques
  Se protéger contre le vol,
  Kabundi, Marcel et
  Normandeau, André
* Tout ce que vous devez savoir sur le
  condominium, Dubois, Robert
  Univers de l'astronomie, L',
  Tocquet, Robert
  Week-end à New York, Tavernier-
  Cartier, Lise

MUSIQUE

Chant sans professeur, Le,
  Hewitt, Graham
Guitare, La, Collins, Peter
Guitare sans professeur, La,
  Evans, Roger

Piano sans professeur, Le, Evans, Roger
Solfège sans professeur, Le,
  Evans, Roger

NOTRE TRADITION

* Encyclopédie du Québec, T.2,
  Landry, Louis
  Généalogie, La, Faribeault-Beauregard,
  M. et Beauregard Malak, E.
* Maison traditionnelle au Québec, La,
  Lessard, Michel

* Moulins à eau de la vallée du Saint-
  Laurent, Les, Villeneuve, Adam
* Sculpture ancienne au Québec, La,
  Porter, John R. et Bélisle, Jean
* Temps des fêtes au Québec, Le,
  Montpetit, Raymond

PHOTOGRAPHIE

Apprenez la photographie avec
  Antoine Désilets, Désilets, Antoine
8/Super 8/16, Lafrance, André
Fabuleuse lumière canadienne,
  Hines, Sherman
* Initiation à la photographie,
  London, Barbara

* Initiation à la photographie-Canon,
  London, Barbara
* Initiation à la photographie-Minolta,
  London, Barbara
* Initiation à la photographie-Nikon,
  London, Barbara